Petits *C*lassiques
LAROUSSE

Collection fondée par Félix Guirand,
Agrégé des Lettres

Andromaque

Racine

Tragédie

Édition présentée,
annotée et commentée
par Frédéric WEISS,
agrégé de lettres modernes

SOMMAIRE

Avant d'aborder l'œuvre

Andromaque

Racine

Avez-vous bien lu ?

Pour approfondir

AVANT D'ABORDER L'ŒUVRE

AVANT D'ABORDER L'ŒUVRE

Fiche d'identité de l'auteur

Racine

Nom : Jean Racine.

Naissance : le 21 décembre 1639, à La Ferté-Milon.

Famille : orphelin très jeune, il est élevé par ses grands-parents jusqu'à l'âge de 10 ans. Il se marie à l'âge de 38 ans. Père de deux fils et cinq filles.

Études : à Port-Royal, monastère janséniste, puis chez des maîtres particuliers. À 18 ans, il entre au Collège d'Harcourt, à Paris.

Professions : premières tentatives littéraires à l'âge de 20 ans. N'ayant pas obtenu le « bénéfice » ecclésiastique qu'il espérait, il se lance dans le théâtre. Élu à l'Académie française (1672). Il est l'écrivain qui reçoit du roi la plus généreuse « pension ». Devient historiographe du roi (1677), puis gentilhomme ordinaire de la Chambre du Roi (1690), titre prestigieux.

Vie sociale : très marqué par son éducation à Port-Royal, il se brouille néanmoins avec les jansénistes en 1666, mais se réconciliera avec eux à partir de 1679. Courtisan et mondain dans sa jeunesse, il a des maîtresses célèbres (l'actrice Du Parc, notamment), mais finit sa vie en se consacrant à sa famille et à la religion.

Carrière : sa première tragédie, *La Thébaïde*, est jouée par la troupe de Molière en 1664. Le premier grand succès de Racine est *Andromaque* (1667). Il évince dès lors son rival, le vieux Corneille. Les grandes pièces se succèdent : *Britannicus* (1669), *Bérénice* (1670), *Bajazet* (1672). *Iphigénie* est créée à Versailles en 1674. *Phèdre* (1677) est considérée comme son chef-d'œuvre, après quoi il renonce au théâtre, mais il est sollicité par Mme de Maintenon, maîtresse du roi, pour écrire deux tragédies bibliques : *Esther* (1689) et *Athalie* (1691). À la fin de sa vie, un *Abrégé de l'histoire de Port-Royal* lui vaut une demi-disgrâce.

Mort : le 21 avril 1699, à Paris.

Pour ou contre Racine ?

Pour

BOILEAU :
Que tu sais bien Racine à l'aide d'un acteur
Émouvoir, étonner, ravir un spectateur !
Épître à Monsieur Racine, 1677

VOLTAIRE :
Racine passa de bien loin et les Grecs et Corneille dans l'intelligence des passions, et porta la douce harmonie de la poésie, ainsi que les grâces de la parole, au plus haut point où elles pussent parvenir.
Le Siècle de Louis XIV, 1751

BARTHES :
Comme pour le théâtre antique, ce théâtre nous concerne bien plus et bien plus par son étrangeté que par sa familiarité : son rapport à nous, c'est sa distance.
Sur Racine, 1960

Contre

MADAME DE SÉVIGNÉ :
Racine fait des comédies pour la Champmeslé : ce n'est pas pour les siècles à venir.
Lettre à Madame de Grignan, 16 mars 1672

HUGO :
À mon sens, le style de Racine a beaucoup plus vieilli que le style de Corneille. Corneille est ridé ; Racine est fané. Corneille reste magnifique, vénérable et puissant. Corneille a vieilli comme un vieil homme ; Racine comme une vieille femme.
Choses vues, 1887

é à la Ferté-Milon, le 21 Décembre 1639,

Mort à Paris, le 22 Avril 1699.

Repères chronologiques

Vie et œuvre de Racine	Événements politiques et culturels
1639 **Naissance à La Ferté-Milon.**	**1638** Naissance de Louis XIV.
1649-1658 Études aux « Petites Écoles » de Port-Royal.	**1649-1652** Guerre civile de la Fronde.
1661-1663 À Uzès. Échoue à obtenir un bénéfice ecclésiastique.	**1659** Paix avec l'Espagne.
1664 Première tragédie représentée, *La Thébaïde*.	**1661** **Mort de Mazarin.** **Début du règne personnel** **de Louis XIV. Colbert ministre.**
1665 Grand succès d'*Alexandre le* *Grand*. Brouille avec Molière. Liaison avec Thérèse du Parc, comédienne.	**1664** **Interdiction du *Tartuffe*** **de Molière.** La Rochefoucauld, *Maximes*.
1666 Polémique avec les jansénistes, hostiles au théâtre.	**1665** Molière, *Dom Juan*.
1667 ***Andromaque*, premier grand** **succès.**	**1666** Molière, *Le Misanthrope*.
1668 *Les Plaideurs*, sa seule comédie, ne rencontre pas le succès attendu.	**1668** La Fontaine, *Fables* (livre I). Conquête de la Franche-Comté (guerre contre l'Espagne et la Hollande). Le traité d'Aix-la-Chapelle fait de Louis XIV l'arbitre de l'Europe.
1669 *Britannicus*.	**1670** Pascal, *Pensées* (1re édition).
1670 *Bérénice*. Liaison avec la Champmeslé, comédienne.	**1672** Guerre de Hollande (victoire française).
1672 *Bajazet*. Élection à l'Académie française.	**1673** Mort de Molière.
1673 *Mithridate*. Grand succès qui enthousiasme Louis XIV.	**1674** *Suréna*, dernière tragédie de Corneille.
1674 *Iphigénie*. Nommé Trésorier à Moulins, mais sans quitter Paris.	**1677** Spinoza, *L'Éthique*.

Vie et œuvre de Racine	Événements politiques et culturels
1676 Première édition des *Œuvres*.	**1678** Mme de Lafayette, *La Princesse de Clèves*. Traité de Nimègue : apogée du règne de Louis XIV.
1677 *Phèdre*. **Nommé historiographe du roi. Mariage avec Catherine de Romanet.**	**1680** Création de la Comédie-Française.
1679 Réconciliation avec les jansénistes.	**1682** **La Cour s'installe à Versailles.**
1684 *Éloge historique du roi sur ses conquêtes.*	**1684** Mort de Corneille. Mariage secret du roi et de Madame de Maintenon.
1685 *Idylle sur la paix.*	**1685** **Révocation de l'édit de Nantes.**
1687 Seconde édition de ses *Œuvres*.	**1687** Début de la Querelle des Anciens et des Modernes.
1689 *Esther*, tragédie biblique écrite à la demande de Madame de Maintenon.	**1688** Guerre de la ligue d'Augsbourg. La Bruyère, *Caractères*.
1690 Gentilhomme ordinaire de la Chambre du Roi.	**1690** Furetière, *Dictionnaire*.
1691 *Athalie*, **dernière pièce, commandée par Madame de Maintenon.**	**1693** Grande famine.
1694 *Les Cantiques spirituels,* poèmes religieux.	**1694** Dictionnaire de l'Académie française.
1695 *Abrégé de l'histoire de Port-Royal.*	**1695** Querelle du quiétisme.
1697 Dernière édition des *Œuvres complètes*, revue par l'auteur.	**1697** Perrault, *Contes de ma mère l'Oye*.
1699 **Mort de Racine. Enterrement à Port-Royal.**	**1702** Révolte protestante dans les Cévennes.

Fiche d'identité de l'œuvre

Andromaque

Auteur :
Racine, à 27 ans. Premier
succès au théâtre.
L'auteur triomphe
de Corneille, son rival.

Genre :
tragédie (inspirée
de la mythologie grecque).

Forme :
la pièce est écrite
en alexandrins.

Structure : 5 actes.

Personnages principaux :
Pyrrhus : roi de l'Épire, fils d'Achille, allié des Grecs.
Andromaque : veuve du prince troyen Hector (tué par
Achille), mère d'Astyanax.
Oreste : prince troyen fils d'Agamemnon, cousin et amoureux
d'Hermione, ambassadeur des Grecs auprès de Pyrrhus.
Hermione : princesse grecque, fille de Ménélas et d'Hélène
de Sparte, cousine d'Oreste, promise en mariage à Pyrrhus.

Personnages secondaires :
Pylade, ami d'Oreste. Phoenix, gouverneur de Pyrrhus.
Céphise, confidente d'Andromaque. Cléone, confidente
d'Hermione.

Lieu, moment et durée : l'histoire se passe à Buthrote,
dans le palais de Pyrrhus, dix ans après la fin
de la guerre de Troie et donc de la victoire des Grecs.
L'action se déroule en vingt-quatre heures (c'est
la règle de « l'unité de temps »).

Sujet : Oreste est envoyé par les Grecs pour réclamer
à Pyrrhus son prisonnier Astyanax. Mais le roi est
amoureux d'Andromaque et craint de la mécontenter en
livrant l'enfant. Il est également fiancé à Hermione,
aimée depuis longtemps par son cousin Oreste. Celui-ci
est donc chargé d'une mission qu'il voudrait bien voir
échouer : il espère que, si Pyrrhus refuse de donner
Astyanax aux Grecs pour pouvoir épouser Andromaque,
Hermione sera libre de le suivre. Mais la princesse
grecque se sent humiliée par l'amour de Pyrrhus pour
une Troyenne. De son côté, Andromaque a juré d'être
fidèle à la mémoire de son mari Hector. La situation
est insoluble… La pièce finira de façon catastrophique :
le meurtre, le suicide et la folie vont frapper…

Pour ou contre Andromaque ?

Pour

ROBINET :
« Car, sans le flatter nullement,
On ne peut voir assurément,
Ou du moins, je me l'imagine,
De plus beaux fruits d'une Racine... »

Lettre en vers à Madame, 26 novembre 1667

SAINT-ÉVREMOND :
« C'est une belle pièce, qui est fort au-dessus du médiocre,
quoique un peu au-dessous du grand. »

Lettre à Monsieur de Lionne, 1668

CHATEAUBRIAND :
« Cette humilité que le christianisme a répandue dans
les sentiments perce à travers tout le rôle moderne
d'Andromaque. »

Génie du christianisme, 1802

Contre

MADAME DE SÉVIGNÉ :
Bajazet est beau ; j'y trouve quelques embarras sur
la fin ; il y a bien de la passion, et de la passion moins
folle que celle de *Bérénice* : je trouve cependant, selon
mon goût, qu'elle ne surpasse pas *Andromaque...*
Croyez que jamais rien n'approchera (je ne dis pas
surpassera) des divins endroits de Corneille.

Lettre à Madame de Grignan, 15 janvier 1672

Pour mieux lire l'œuvre

✦ Au temps de Racine

En 1667, Racine est encore un jeune auteur. Jusque-là, il a surtout écrit des œuvres poétiques dédiées à Louis XIV, ce qui lui a permis, dès 1664, d'obtenir une « pension », c'est-à-dire un salaire versé par l'État. Il a également composé deux tragédies inspirées de la Grèce : *La Thébaïde,* de sujet mythologique et qui reprend l'histoire des enfants d'Œdipe, et *Alexandre le Grand,* sujet historique cette fois, qui évoque le grand conquérant grec. Racine poursuit dans cette voie en choisissant de mettre en scène Andromaque, la femme du prince troyen Hector, dont l'histoire nous est connue par *L'Iliade* d'Homère, et qui avait déjà fait l'objet de pièces tragiques à l'époque des Grecs (notamment chez Euripide). Racine est à son époque l'auteur le mieux placé pour faire revivre les mythes grecs. Il a reçu une excellente éducation à Port-Royal. Très cultivé, il connaît le grec et lit facilement les tragédies antiques. Il possède parfaitement son sujet, ce qui lui permet de prendre des libertés avec ses modèles. C'est ce qu'on appelle, à l'époque classique, l'imitation : on s'inspire de l'Antiquité tout en l'adaptant aux goûts et aux préoccupations du public contemporain.

La pièce a été jouée pour la première fois en novembre 1667, devant la Cour. Dès le début, le succès a été immense : grâce à *Andromaque*, Racine s'est imposé comme l'un des dramaturges majeurs de son temps, avec Corneille et Molière, et il a réussi à gagner l'estime du roi. La suite de sa carrière verra s'épanouir ce succès littéraire et social. Après avoir été applaudie par la Cour, la pièce fut jouée devant le public parisien (« à la Ville », comme on disait alors), par les comédiens de l'Hôtel de Bourgogne, troupe rivale de celle de Molière. Il faut savoir que Paris, à l'époque, ne compte que deux théâtres permanents. Le rôle d'Andromaque était tenu par la Du Parc, célèbre actrice et maîtresse de Racine. Depuis longtemps, aucun spectacle n'avait déchaîné autant d'enthousiasme. Dans les années 1660, en effet, le théâtre s'impose en France comme un divertissement de plus en plus apprécié. C'est qu'il a le mérite de plaire à toutes sortes de publics : l'entourage du roi, les nobles, les bourgeois, les intellectuels, et même les gens du peuple. Cependant, au XVIIe siècle, on distinguait soigneusement entre la tragédie (genre noble) et la comédie (genre inférieur). Si ces genres théâtraux sont tous deux d'origine grecque, ils diffèrent néanmoins par leurs personnages, leur sujet, leur ton. Dans les comédies, on représente des bourgeois dans leur vie familiale, avec les soucis propres à leur classe sociale moyenne (par exemple, le mariage d'un enfant). Au contraire, la tragédie ne met en scène que des personnages de rang royal, tirés de l'histoire ancienne ou des mythes antiques. Les tragédies abordent également des sujets plus graves. Elles touchent à la politique, mais aussi à des problèmes philosophiques généraux : les passions, le destin, la mort, les dieux. À cette élévation de sujet s'ajoute une élévation de ton : les tragédies sont toujours écrites en vers, et plus précisément en alexandrins. Le vers de douze syllabes est en effet considéré comme le vers noble. Le style, notamment chez Racine, est très soutenu, conformément au rang des personnages, et même si leurs passions sont souvent violentes. Contrairement à la comédie, la tragédie cherche à provoquer deux émotions profondes : la terreur et la pitié. Cette idée était déjà celle des Grecs, par exemple du philosophe Aristote qui a défini les règles de la tragédie. Le spectateur doit éprouver de la terreur devant les sentiments furieux et les crimes des personnages, mais aussi de la pitié pour leur destin, qui souvent aboutit à la mort. C'est pour cette raison, comme le rappelle Racine dans sa *Première préface,* que les personnages tragiques ne doivent être « ni tout à fait bons, ni tout à faits méchants ». Trop bons, ils ne mériteraient pas leur sort malheureux ; mais trop méchants, ils n'attireraient pas la compassion du public. La terreur et la pitié que doit inspirer le spectacle tragique participent de la doctrine de la « catharsis ». Il s'agit d'un terme grec signifiant « purification », qui renvoie à l'idée que la représentation sur scène des passions et des crimes peut aider les spectateurs à se

Pour mieux lire l'œuvre

« purifier » de leurs mauvaises pulsions : ceux-ci n'auraient plus la tentation de commettre les mauvaises actions dont ils assistent, sur scène, aux terribles conséquences. Cette idée de catharsis provient de ce que, chez les Grecs, le théâtre était un spectacle qui réunissait tous les citoyens. Il avait un rôle politique et social de premier plan, aidant à maintenir l'unité et la cohésion de la cité. En France, à l'époque classique, il reste quelque chose de cette ancienne doctrine. Le théâtre touche toutes les classes sociales, il contribue à sa façon à l'harmonie sociale, même si le régime de la monarchie absolue est bien différent de celui de la démocratie athénienne.

La question politique n'en est pas moins au cœur de la pièce. *Andromaque* traite en effet d'une époque d'après-guerre : après la victoire des Grecs sur Troie, comment faire pour réconcilier le passé et l'avenir ? Comment enterrer les vieilles hostilités pour construire un monde nouveau ? C'est aussi la question que pose l'amour de Pyrrhus pour Andromaque. En voulant épouser son ancienne ennemie et captive, en faisant tout pour sauver l'héritier de Troie, le roi prouve qu'il recherche la réconciliation et la paix. Andromaque, au contraire, tout comme Hermione, est inexorablement attachée au passé : pour elle, pas de paix possible avec le fils de celui qui a tué son mari. Vengeance et pardon, fidélité et oubli sont des thèmes centraux de cette tragédie politique autant que passionnelle. Pour les spectateurs de 1667, et pour la Cour en particulier, ces problèmes rappellent étrangement l'actualité des relations diplomatiques entre deux vieux pays ennemis, la France et l'Espagne. Jusqu'au milieu du XVIIᵉ siècle, l'Espagne était en effet la première puissance européenne. Louis XIV a juré d'affaiblir ce puissant voisin et de prendre sa place hégémonique. Au traité des Pyrénées, signé en 1659, les deux royaumes ont fait la paix et le roi a obtenu la promesse d'épouser la fille du roi d'Espagne, l'infante Marie-Thérèse. Celle-ci est devenue reine de France. Il y a des échos, comme on le voit, entre le mythe grec et la situation politique du temps de Racine, et cela d'autant plus que cette même année, le roi s'engage dans la guerre de Dévolution au terme de laquelle l'Espagne devra céder à la France plusieurs villes des Flandres.

✎ L'essentiel

Avec *Andromaque,* Racine a conquis sa place d'auteur tragique majeur. Il a réutilisé et adapté la mythologie, il a renoué avec l'idéal de la tragédie grecque, cherchant à inspirer au public des émotions fortes. Mais il a aussi amené les hommes à réfléchir à leurs passions, à leur condition humaine, à la mort, tout en posant des questions politiques fondamentales.

✣ L'œuvre aujourd'hui

Le contexte actuel n'a plus rien à voir avec celui du temps de Racine. La monarchie absolue a disparu, le public n'est plus aussi familier de la mythologie grecque, les valeurs de l'honneur et de la fidélité se sont affaiblies, la crainte des dieux n'est plus de mise. Et pourtant, bien des questions que soulève *Andromaque* continuent de trouver un écho dans notre monde contemporain.

D'abord, il y a le problème de la guerre et de ses suites. Même si l'Europe est aujourd'hui en paix, le monde actuel est déchiré par d'innombrables conflits. Les personnages de la pièce sont les descendants des héros de la guerre de Troie. Une haine farouche continue d'opposer les Grecs et les deux survivants de Troie que sont Andromaque et son fils. Quoique vainqueurs, les Grecs veulent la tête d'Astyanax, craignant que plus tard il ne veuille venger sa patrie détruite. Comment mettre un terme à cette guerre qui se perpétue au-delà de la guerre ? C'est ce que cherche Pyrrhus : l'amour qu'il porte à son ancienne ennemie symbolise l'oubli du passé et la réconciliation ; son mariage avec Andromaque illustre le recommencement. On

Pour mieux lire l'œuvre

peut noter d'ailleurs que la veuve d'Hector, qui n'aime pas Pyrrhus et qui refuse de lui pardonner, se laisse finalement convaincre par cette logique de réconciliation : alors qu'elle a juré de se suicider après les noces, elle est, paradoxalement, la seule survivante de la tragédie. Elle redevient reine dans un autre pays. Pyrrhus, quant à lui, mérite aussi notre pitié : il a eu le courage de s'opposer aux Grecs, à Hermione, à tous ceux qui voudraient que les conflits ancestraux perdurent à jamais, qu'il n'y ait jamais de paix possible entre anciens ennemis. Il a payé de sa vie ce choix de la paix et du renouveau. Il évoque tous ceux qui, dans le monde d'aujourd'hui, se battent pour la réconciliation et la fin des conflits.

Le personnage d'Andromaque est également moins obsolète qu'il n'y paraît. Une veuve de guerre éternellement fidèle à la mémoire de son mari, cela ne semble pas très actuel, même si, en bien des endroits du globe, il y a toujours des guerres et des veuves. Elle a juré de rester toujours fidèle à sa famille, son mari, sa patrie : valeurs d'un autre temps, pourrait-on croire. Et pourtant, elle renonce à cette fidélité, qui est sa seule raison de vivre ; elle y renonce parce qu'elle comprend que la vie de son fils vaut plus que ses idéaux. C'est en cela qu'elle est exemplaire et héroïque. Elle ne trahit ni son passé ni sa fidélité mais elle comprend que l'amour maternel est un devoir plus grand que le souvenir d'Hector, de Priam, de Troie. Le culte des morts ne mérite pas qu'on ajoute de nouveaux morts aux anciens. Andromaque se laisse finalement convaincre par l'offre de Pyrrhus et se range dans le parti des vivants : sans rien abandonner de sa fierté troyenne, elle se résout à faire de Buthrote une nouvelle Troie, où Astyanax régnera un jour. Ce qui était sublime du temps de Racine continue de nous toucher : Andromaque nous aide à comprendre que les vraies valeurs ne sont que des mots trompeurs si elles s'accommodent de la mort d'un autre. « La vraie morale se moque de la morale », disait Pascal, contemporain de Racine et, comme lui, très marqué par le jansénisme.

L'analyse que Racine fait des passions et de la condition humaine continue elle aussi de nous concerner. La facilité avec laquelle l'amour peut se transformer en haine, comme on le voit dans le cas de Pyrrhus et d'Hermione, demeure une constante de la psychologie humaine. Les dangers de la passion amoureuse et du désir, quand aucune morale ne vient les limiter, n'ont pas changé : comme Oreste, l'homme moderne a toujours en lui la tentation du pire, et peut aller, par amour, jusqu'au meurtre. La folie guette celui qui reçoit d'une même personne des ordres contradictoires, comme Oreste qui reçoit successivement d'Hermione la mission d'aller tuer Pyrrhus, puis le reproche de l'avoir tué... La folie passionnelle de la princesse, puis le suicide qui en forme l'unique exutoire, sont des risques toujours actuels, quoi qu'on en pense. Tout cela vient de ce que les auteurs classiques comme Racine entendaient aller au fond de la nature humaine pour en rechercher les vérités universelles et intemporelles. Et les exemples que les mythes grecs leur fournissaient, la psychiatrie ou les faits divers d'aujourd'hui nous les restituent au quotidien.

☙ L'essentiel

Malgré tout ce qui sépare l'univers de Racine du nôtre, bien des questions continuent de nous toucher dans *Andromaque*. La guerre et la paix, la morale et le mal, le désir et l'amour, la folie et la mort hantent notre monde, comme ils hantaient celui des Grecs et des gens du XVIIᵉ siècle. C'est pourquoi Racine demeure un classique : un homme habité par des interrogations fondamentales sur l'être humain.

Julia Bartet dans *Andromaque*, acte I, scène 4. Comédie-Française, 1903.

Andromaque

Racine

Tragédie (1667)

DÉDICACE

À Madame

MADAME,

Ce n'est pas sans sujet que je mets votre illustre nom à la tête de cet ouvrage. Et de quel autre nom pourrais-je éblouir les yeux de mes lecteurs, que de celui dont mes spectateurs ont été si heureusement éblouis ? On savait que VOTRE ALTESSE ROYALE avait daigné prendre soin de la conduite de ma tragédie ; on savait que vous m'aviez prêté quelques-unes de vos lumières pour y ajouter de nouveaux ornements ; on savait enfin que vous l'aviez honorée de quelques larmes dès la première lecture que je vous en fis. Pardonnez-moi, MADAME, si j'ose me vanter de cet heureux commencement de ma destinée. Il me console bien glorieusement de la dureté de ceux qui ne voudraient pas s'en laisser toucher. Je leur permets de condamner l'*Andromaque* tant qu'ils voudront, pourvu qu'il me soit permis d'appeler de toutes les subtilités de leur esprit au cœur de VOTRE ALTESSE ROYALE.

Mais, MADAME, ce n'est pas seulement du cœur que vous jugez de la bonté d'un ouvrage, c'est avec une intelligence qu'aucune fausse lueur ne saurait tromper. Pouvons-nous mettre sur la scène une histoire que vous ne possédiez aussi bien que nous ? Pouvons-nous faire jouer une intrigue dont vous ne pénétriez tous les ressorts ? Et pouvons-nous concevoir des sentiments si nobles et si délicats qui ne soient infiniment au-dessous de la noblesse et de la délicatesse de vos pensées ?

On sait, MADAME, et VOTRE ALTESSE ROYALE a beau s'en cacher, que, dans ce haut degré de gloire où la Nature et la Fortune ont pris plaisir de vous élever, vous ne dédaignez pas cette gloire obscure que les gens de lettres s'étaient réservée. Et il semble que vous ayez voulu avoir autant d'avantage sur notre sexe, par les connaissances et la solidité de votre esprit, que vous excellez dans le vôtre par toutes les grâces qui vous environnent. La cour vous regarde comme l'arbitre de tout ce qui se fait d'agréable. Et nous qui travaillons pour plaire au public, nous n'avons plus que faire de demander aux savants si nous travaillons selon les règles. La règle souveraine est de plaire à VOTRE ALTESSE ROYALE.

Voilà sans doute la moindre de vos excellentes qualités. Mais, MADAME, c'est la seule dont j'ai pu parler avec quelque connaissance ; les autres sont trop élevées au-dessus de moi. Je n'en puis parler sans les rabaisser par la faiblesse de mes pensées, et sans sortir de la profonde vénération avec laquelle je suis,

MADAME, DE VOTRE ALTESSE ROYALE,
Le très humble, très obéissant,
Et très fidèle serviteur,

RACINE.

Première préface de Racine (1668)

Virgile au troisième livre de *L'Énéide* (c'est Énée qui parle).
« *Littoraque Epiri legimus, portuque subimus
Chaonio, et celsam Buthroti ascendimus urbem...
Solemnes tum forte dapes et tristia dona...
Libabat cineri Andromache, Manesque vocabat
Hectoreum ad tumulum, viridi quem cespite inanem,
Et geminas, causam lacrimis, sacraverat aras...
Dejecit vultum, et demissa voce locuta est :
« O felix una ante alias Priameia virgo,
Hostilem ad tumulum, Trojae sub moenibus altis,
Jussa mori, quae sortitus non pertulit ullos,
Nec victoris heri tetigit captiva cubile !
Nos, patria incensa, diversa per aequora vectae,
Stirpis Achilleae fastus, juvenemque superbum,
Servitio enixae, tulimus, qui deinde secutus
Ledaeam Hermionem, Lacedaemoniosque hymenaeos...
Ast illum, ereptae magno inflammatus amore
Conjugis, et scelerum Furiis agitatus, Orestes
Excipit incautum, patriasque obtruncat ad aras.* »

Voilà, en peu de vers, tout le sujet de cette tragédie. Voilà le lieu de la scène, l'action qui s'y passe, les quatre principaux acteurs, et même leurs caractères, excepté celui d'Hermione, dont la jalousie et les emportements sont assez marqués dans l'*Andromaque* d'Euripide.

Mais véritablement mes personnages sont si fameux dans l'Antiquité que, pour peu qu'on la connaisse, on verra fort bien que je les ai rendus tels que les anciens poètes nous les ont donnés. Aussi n'ai-je pas pensé qu'il me fût permis de rien changer à leurs mœurs. Toute la liberté que j'ai prise, ç'a été d'adoucir un peu la férocité de Pyrrhus, que Sénèque, dans sa *Troade*, et Virgile, dans le second livre de *L'Énéide*, ont poussée beaucoup plus loin que je n'ai cru devoir le faire.

Encore s'est-il trouvé des gens qui se sont plaints qu'il s'emportât contre Andromaque, et qu'il voulût épouser une captive à quelque prix que ce fût. J'avoue qu'il n'est pas assez résigné à la volonté de sa maîtresse, et que Céladon a mieux connu que lui le parfait amour. Mais que faire ? Pyrrhus n'avait pas lu nos romans. Il était violent de son naturel, et tous les héros ne sont pas faits pour être des Céladons.

Quoi qu'il en soit, le public m'a été trop favorable pour m'embarrasser du chagrin particulier de deux ou trois personnes qui voudraient qu'on réformât tous les héros de l'Antiquité pour en faire des héros parfaits. Je trouve leur intention fort bonne de vouloir qu'on ne mette sur scène que des hommes impeccables mais je les prie de se souvenir que ce n'est pas à moi de changer les règles du théâtre. Horace nous recommande de peindre Achille farouche, inexorable, violent, tel qu'il était, et tel qu'on dépeint son fils. Aristote, bien éloigné de nous demander des héros parfaits, veut au contraire que les personnages tragiques, c'est-à-dire ceux dont le malheur fait la catastrophe de la tragédie, ne soient ni tout à fait bons, ni tout à fait méchants. Il ne veut pas qu'ils soient extrêmement bons, parce que la punition d'un homme de bien exciterait plus l'indignation que la pitié du spectateur ; ni qu'ils soient méchants avec excès, parce qu'on n'a point pitié d'un scélérat. Il faut donc qu'ils aient une bonté médiocre, c'est-à-dire une vertu capable de faiblesse, et qu'ils tombent dans le malheur par quelque faute qui les fasse plaindre sans les faire détester.

Seconde préface de Racine (1676)

Virgile au troisième livre de *L'Énéide* (c'est Énée qui parle).
« *Littoraque Epiri legimus, portuque subimus*
Chaonio, et celsam Buthroti ascendimus urbem...
Solemnes tum forte dapes et tristia dona...
Libabat cineri Andromache, Manesque vocabat
Hectoreum ad tumulum, viridi quem cespite inanem,
Et geminas, causam lacrimis, sacraverat aras...
Deiecit vultum, et demissa voce locuta est :
« *O felix una ante alias Priameia virgo,*
Hostilem ad tumulum, Trojae sub moenibus altis,
Jussa mori, quae sortitus non pertulit ullos,
Nec victoris heri tetigit captiva cubile !
Nos, patria incensa, diversa per aequora vectae,
Stirpis Achilleae fastus, juvenemque superbum,
Servitio enixae, tulimus, qui deinde secutus
Ledaeam Hermionem, Lacedaemoniosque hymenaeos...
Ast illum, ereptae magno inflammatus amore
Conjugis, et scelerum Furiis agitatus, Orestes
Excipit incautum, patriasque obtruncat ad aras. »

Voilà, en peu de vers, tout le sujet de cette tragédie. Voilà le lieu de la scène, l'action qui s'y passe, les quatre principaux acteurs, et même leurs caractères, excepté celui d'Hermione, dont la jalousie et les emportements sont assez marqués dans l'*Andromaque* d'Euripide.
C'est presque la seule chose que j'emprunte ici de cet auteur. Car, quoique ma tragédie porte le même nom que la sienne, le sujet en est cependant très différent. Andromaque, dans Euripide, craint pour la vie de Molossus, qui est un fils qu'elle a eu de Pyrrhus et qu'Hermione veut faire mourir avec sa mère. Mais ici il ne s'agit point de Molossus : Andromaque ne connaît point d'autre mari qu'Hector, d'autre fils qu'Astyanax. J'ai cru en cela me conformer à l'idée que nous avons maintenant de cette princesse. La plupart de ceux qui ont entendu parler

d'Andromaque ne la connaissaient guère que pour la veuve d'Hector et pour la mère d'Astyanax. On ne croit point qu'elle doive aimer ni un autre mari, ni un autre fils ; et je doute que les larmes d'Andromaque eussent fait sur l'esprit de mes spectateurs l'impression qu'elles y ont faite, si elles avaient coulé pour un autre fils que celui qu'elle avait d'Hector.

Il est vrai que j'ai été obligé de faire vivre Astyanax un peu plus qu'il n'a vécu ; mais j'écris dans un pays où cette liberté ne pouvait pas être mal reçue. Car, sans parler de Ronsard, qui a choisi ce même Astyanax pour le héros de sa *Franciade*, qui ne sait que l'on fait descendre nos anciens rois de ce fils d'Hector, et que nos vieilles chroniques sauvent la vie à ce jeune prince, après la désolation de son pays, pour en faire le fondateur de notre monarchie ? Combien Euripide a-t-il été plus hardi dans sa tragédie d'*Hélène* ! Il y choque ouvertement la créance commune de toute la Grèce : il suppose qu'Hélène n'a jamais mis le pied dans Troie, et qu'après l'embrasement de cette ville, Ménélas trouve sa femme en Égypte, d'où elle n'était point partie ; tout cela fondé sur une opinion qui n'était reçue que parmi les Égyptiens, comme on peut le voir dans Hérodote.

Je ne crois pas que j'eusse besoin de cet exemple d'Euripide pour justifier le peu de liberté que j'ai prise. Car il y a bien de la différence entre détruire le principal fondement d'une fable et en altérer quelques incidents, qui changent presque de face dans toutes les mains qui les traitent. Ainsi Achille, selon la plupart des poètes, ne peut être blessé qu'au talon, quoique Homère le fasse blesser au bras, et ne le croie invulnérable en aucune partie de son corps. Ainsi Sophocle fait mourir Jocaste aussitôt après la reconnaissance d'Œdipe ; tout au contraire d'Euripide qui la fait vivre jusqu'au combat et à la mort de ses deux fils. Et c'est à propos de quelques contrariétés de cette nature qu'un ancien commentateur de Sophocle remarque fort bien « qu'il ne faut point s'amuser à chicaner les poètes pour quelques changements qu'ils ont pu faire dans la fable ; mais qu'il faut s'attacher à considérer l'excellent usage qu'ils ont fait de ces changements et la manière ingénieuse dont ils ont su accommoder la fable à leur sujet ».

Traduction de l'extrait de *L'Énéide*

Nous longeons les côtes d'Épire, nous entrons dans le port de la Chaonie et montons à la ville haute de Buthrote (...). C'était justement un jour de cérémonie solennelle, d'offrande aux morts (...). Andromaque pour leurs cendres versait la libation, elle invoquait les Mânes d'Hector près de son tombeau vide, couvert d'un gazon vert, et des deux autels consacrés où elle versait ses larmes. (...) Elle baissa les yeux et répondit à voix basse : « Ô heureuse entre toutes, la fille de Priam qui reçut l'ordre de mourir sur le tombeau d'un ennemi, au pied des hautes murailles de Troie ! Elle n'eut à subir aucun partage par le sort, elle n'entra point, captive, dans le lit du vainqueur, son maître ! Nous, après l'embrasement de notre patrie, transportée sur des mers lointaines, nous avons enduré l'orgueil du rejeton d'Achille, sa jeunesse insolente. Nous avons enfanté dans la servitude. Puis il a suivi la petite-fille de Léda, Hermione, dans des noces lacédémoniennes. (...) Alors Oreste, enflammé d'un grand amour pour sa fiancée qui lui était ravie, et poursuivi par les Furies, vengeresses des crimes, Oreste surprend Pyrrhus à l'improviste et l'égorge sur les autels de son père. »

L'Énéide, livre III.

PERSONNAGES

ANDROMAQUE   *veuve d'Hector, captive de Pyrrhus.*

PYRRHUS   *fils d'Achille, roi d'Épire.*

ORESTE   *fils d'Agamemnon.*

HERMIONE   *fille d'Hélène, accordée avec Pyrrhus.*

PYLADE   *ami d'Oreste.*

CLÉONE   *confidente d'Hermione.*

CÉPHISE   *confidente d'Andromaque.*

PHŒNIX   *gouverneur d'Achille puis de Pyrrhus.*

SUITE D'ORESTE.

La scène est à Buthrote, ville d'Épire, dans une salle du palais de Pyrrhus.

ACTE I
Scène 1 ORESTE, PYLADE

ORESTE

Oui, puisque je retrouve un ami si fidèle,
Ma fortune[1] va prendre une face nouvelle ;
Et déjà son courroux semble s'être adouci,
Depuis qu'elle a pris soin de nous rejoindre[2] ici.

5 Qui l'eût dit, qu'un rivage à mes vœux si funeste
Présenterait d'abord Pylade aux yeux d'Oreste ?
Qu'après plus de six mois que je t'avais perdu,
À la cour de Pyrrhus tu me serais rendu ?

PYLADE

J'en rends grâces au ciel qui, m'arrêtant sans cesse,

10 Semblait m'avoir fermé le chemin de la Grèce,
Depuis le jour fatal que[3] la fureur des eaux
Presque aux yeux de l'Épire écarta nos vaisseaux[4].
Combien, dans cet exil, ai-je souffert d'alarmes !
Combien à vos malheurs ai-je donné de larmes,

15 Craignant toujours pour vous quelque nouveau danger
Que ma triste amitié ne pouvait partager !
Surtout je redoutais cette mélancolie
Où j'ai vu si longtemps votre âme ensevelie.
Je craignais que le ciel, par un cruel secours,

20 Ne vous offrît la mort que vous cherchiez toujours.
Mais je vous vois, Seigneur ; et si j'ose le dire,
Un destin plus heureux vous conduit en Épire :

---

1. **Ma fortune :** mon destin.
2. **Rejoindre :** réunir.
3. **Le jour fatal que :** le jour fatal où.
4. **Écarta nos vaisseaux :** sépara nos navires.

Acte I - Scène 1

armée Le pompeux appareil[1] qui suit ici vos pas
N'est point d'un malheureux qui cherche le trépas[2].

ORESTE

Alas 25 Hélas ! Qui peut savoir le destin qui m'amène ?
L'amour me fait ici chercher une inhumaine.
Mais qui sait ce qu'il doit ordonner de mon sort,
Et si je viens chercher ou la vie ou la mort ?

PYLADE

Quoi ? Votre âme à l'amour en esclave asservie
30 Se repose sur lui du soin de votre vie ?
Par quel charme[3], oubliant tant de tourments soufferts,
Pouvez-vous consentir à rentrer dans ses fers[4] ?
Pensez-vous qu'Hermione, à Sparte inexorable,
Vous prépare en Épire un sort plus favorable ?
35 Honteux d'avoir poussé tant de vœux superflus[5], *wishes*
Vous l'abhorriez[6] ; enfin, vous ne m'en parliez plus.
Vous me trompiez, Seigneur.

ORESTE

overwhelmed
depressed   Je me trompais moi-même !
Ami, n'accable point un malheureux qui t'aime.
T'ai-je jamais caché mon cœur et mes désirs ?   *flamme*
40 Tu vis naître ma flamme et mes premiers soupirs.   *d'amour*
Enfin, quand Ménélas disposa de sa fille
En faveur de Pyrrhus, vengeur de sa famille,
Tu vis mon désespoir ; et tu m'as vu depuis
Traîner de mers en mers ma chaîne et mes ennuis.
45 Je te vis à regret, en cet état funeste,
Prêt à suivre partout le déplorable[7] Oreste,
Toujours de ma fureur interrompre le cours,

---

1. **Le pompeux appareil :** le magnifique cortège.
2. **Le trépas :** la mort.
3. **Charme :** magie, sortilège.
4. **Rentrer dans ses fers :** redevenir son prisonnier.
5. **Poussé tant de vœux superflus :** exprimé inutilement tant de désirs amoureux.
6. **Abhorriez :** détestiez.
7. **Déplorable :** malheureux, pitoyable.

Et de moi-même enfin me sauver tous les jours.
Mais quand je me souvins que, parmi tant d'alarmes,
50 Hermione à Pyrrhus prodiguait tous ses charmes,
Tu sais de quel courroux mon cœur alors épris[1]
Voulut en l'oubliant punir tous ses mépris.
Je fis croire et je crus ma victoire certaine ;
Je pris tous mes transports pour des transports de haine.
55 Détestant ses rigueurs, rabaissant ses attraits,
Je défiais ses yeux de me troubler jamais.
Voilà comme[2] je crus étouffer ma tendresse.
En ce calme trompeur j'arrivai dans la Grèce,
Et je trouvai d'abord ses princes rassemblés,
60 Qu'un péril assez grand semblait avoir troublés.
J'y courus. Je pensais que la guerre et la gloire
De soins plus importants rempliraient ma mémoire ;
Que, mes sens[3] reprenant leur première vigueur,
L'amour achèverait de sortir de mon cœur.
65 Mais admire avec moi[4] le sort dont la poursuite[5]
Me fait courir alors au piège que j'évite.
J'entends de tous côtés qu'on menace Pyrrhus ;
Toute la Grèce éclate en murmures confus ;
On se plaint qu'oubliant son sang et sa promesse
70 Il élève en sa cour l'ennemi de la Grèce,
Astyanax, d'Hector jeune et malheureux fils,
Reste[6] de tant de rois sous Troie ensevelis.
J'apprends que pour ravir son enfance au supplice
Andromaque trompa l'ingénieux Ulysse,
75 Tandis qu'un autre enfant, arraché de ses bras,
Sous le nom de son fils fut conduit au trépas.
On dit que, peu sensible aux charmes d'Hermione,
Mon rival porte ailleurs son cœur et sa couronne.

---

1. **Épris :** saisi.
2. **Voilà comme :** voilà comment.
3. **Mes sens :** ma raison.
4. **Admire avec moi :** étonne-toi comme moi.
5. **Poursuite :** acharnement.
6. **Reste :** héritier.

Ménélas, sans le croire, en paraît affligé *seems afflicted*
80   Et se plaint d'un hymen[1] si longtemps négligé.
Parmi les déplaisirs où son âme se noie,
Il s'élève en la mienne une secrète joie :
Je triomphe ; et pourtant je me flatte[2] d'abord
Que la seule vengeance excite ce transport.
85   Mais l'ingrate en mon cœur reprit bientôt sa place. *put out*
De mes feux mal éteints je reconnus la trace ;
Je sentis que ma haine allait finir son cours,
Ou plutôt je sentis que je l'aimais toujours.
Ainsi de tous les Grecs je brigue le suffrage[3].
90   On m'envoie à Pyrrhus, j'entreprends ce voyage.
Je viens voir si l'on peut arracher de ses bras
Cet enfant dont la vie alarme tant d'États.
Heureux si je pouvais, dans l'ardeur qui me presse, *passion*
Au lieu d'Astyanax lui ravir ma princesse ! *delight*
95   Car enfin n'attends pas que mes feux redoublés
Des périls les plus grands puissent être troublés.
Puisque après tant d'efforts ma résistance est vaine,
blinded Je me livre en aveugle au destin qui m'entraîne.
J'aime ; je viens chercher Hermione en ces lieux,
100 La fléchir[4], l'enlever, ou mourir à ses yeux.
Toi qui connais Pyrrhus, que penses-tu qu'il fasse ?
Dans sa cour, dans son cœur, dis-moi ce qui se passe.
Mon Hermione encor le tient-elle asservi ?
Me rendra-t-il, Pylade, un bien qu'il m'a ravi ?

PYLADE

105 Je vous abuserais[5], si j'osais vous promettre
Qu'entre vos mains, Seigneur, il voulût la remettre.
Non que de sa conquête il paraisse flatté[6] ;

---

1. **Hymen :** mariage.
2. **Je me flatte :** j'essaye de me persuader.
3. **Je brigue le suffrage :** je cherche à me faire nommer (ambassadeur).
4. **La fléchir :** la convaincre de m'aimer.
5. **Abuserais :** mentirais.
6. **Flatté :** heureux.

Pour la veuve d'Hector ses feux ont éclaté ;
Il l'aime. Mais enfin cette veuve inhumaine
110 N'a payé jusqu'ici son amour que de haine ;
Et chaque jour encor[1] on lui voit tout tenter
Pour fléchir sa captive, ou pour l'épouvanter.
De son fils, qu'il lui cache, il menace la tête[2],
Et fait couler des pleurs, qu'aussitôt il arrête.
115 Hermione elle-même a vu plus de cent fois
Cet amant irrité revenir sous ses lois,
Et de ses vœux troublés lui rapportant l'hommage,
Soupirer à ses pieds moins d'amour que de rage.
Ainsi n'attendez pas que l'on puisse aujourd'hui
120 Vous répondre[3] d'un cœur si peu maître de lui :
Il peut, Seigneur, il peut, dans ce désordre extrême,
Épouser ce qu'il hait et punir ce qu'il aime.

ORESTE

Mais dis-moi de quel œil Hermione peut voir
Son hymen différé[4], ses charmes sans pouvoir ?

PYLADE

125 Hermione, Seigneur, au moins en apparence,
Semble de son amant dédaigner l'inconstance[5],
Et croit que, trop heureux de fléchir sa rigueur
Il la viendra presser[6] de reprendre son cœur.
Mais je l'ai vue enfin me confier ses larmes :
130 Elle pleure en secret le mépris de ses charmes.
Toujours prête à partir, et demeurant toujours,
Quelquefois elle appelle Oreste à son secours.

ORESTE

Ah ! Si je le croyais, j'irais bientôt, Pylade,
Me jeter...

---

1. **Encor :** encore (orthographe permise au XVIIe siècle).
2. **Il menace la tête :** il menace la vie.
3. **Répondre (de) :** donner des garanties au sujet de.
4. **Différé :** retardé.
5. **Inconstance :** changement des sentiments.
6. **Presser :** supplier.

PYLADE

Achevez, Seigneur, votre ambassade.
135   Vous attendez le roi : parlez, et lui montrez
Contre le fils d'Hector tous les Grecs conjurés.
Loin de leur accorder ce fils de sa maîtresse[1],
Leur haine ne fera qu'irriter sa tendresse.
Plus on les veut brouiller, plus on va les unir.
140   Pressez[2], demandez tout, pour ne rien obtenir.
Il vient.

ORESTE

Eh bien ! Va donc disposer la cruelle
À revoir un amant qui ne vient que pour elle.

Lekain et Madame Vestris dans les rôles d'Oreste et d'Hermione.
Gouache de Fesch et Whirsker, XVIIIᵉ.

---

1. **Maîtresse :** femme aimée.
2. **Pressez :** insistez.

Clefs d'analyse

Action et personnages

1. Quelle est la relation entre Oreste et Pylade ? Comment qualifier une telle scène ?

2. Quelles sont les deux raisons de la venue d'Oreste à Buthrote ? Dans quel ordre les mentionne-t-il ? En quoi est-ce révélateur ?

3. Que nous apprend Pylade sur le passé et le caractère d'Oreste ? Est-ce bon signe pour la suite de la pièce ?

4. De quelle ville vient Hermione ? Qui est son père ? D'où vient Andromaque ? Qui était son mari ? Quelle relation peut donc exister entre les deux femmes ?

5. Qui est l'être aimé par chacun des personnages principaux ? Ces sentiments sont-ils réciproques ? Récapitulez-les sous forme de schéma et expliquez en quoi on parle souvent de « chaîne » à propos de l'amour dans *Andromaque*.

6. Quel conseil Pylade donne-t-il à Oreste à la fin de la scène ? Quel est son but et quel est son raisonnement ?

Langue

7. Relevez tous les temps verbaux dans la première réplique d'Oreste (v. 1-8). Donnez leur nom et leur valeur, en citant chaque fois un exemple. Pourquoi tous ces temps différents sont-ils présents dans ces quelques vers ?

8. Quelle ponctuation remarquez-vous dans la première réplique de Pylade ? Quels sont les sentiments que cela traduit ? Répondez à ces deux mêmes questions en ce qui concerne la deuxième réplique de Pylade.

9. Quelle est la fonction grammaticale du groupe « d'Hector jeune et malheureux fils » au vers 71 ? Quelle est son utilité ici, dans la première scène de la pièce ?

10. Dans la tirade d'Oreste, à partir du vers 61, relevez les verbes qui introduisent des informations encore inconnues du spectateur (ex : « Je pensais que »). Comment appelle-t-on les propositions subordonnées ainsi introduites par « que » ?

Clefs d'analyse   Acte I, scène 1

Genre ou thèmes

11. Sachant que la pièce est une tragédie, le premier mot de la scène vous semble-t-il approprié ? Que peut-on en déduire sur le caractère d'Oreste ? Cherchez plus loin d'autres exemples de « oui » et de « non ». Dans la dernière scène de la pièce, que remarquez-vous ?

12. Relevez des exemples de mots qui décrivent les sentiments d'Oreste pour Hermione. Essayez de les classer. À partir de là, que pouvez-vous dire de la passion tragique ?

13. Relevez les références faites à la guerre de Troie. Cette guerre semble-t-elle vraiment terminée ?

Écriture

14. Imaginez qu'Hermione ait surpris ce dialogue entre Oreste et Pylade. Écrivez le monologue qu'elle se fait alors, en exposant sa réaction aux diverses informations qu'elle vient d'apprendre.

Pour aller plus loin

15. Cherchez l'étymologie du mot « mélancolie », et renseignez-vous sur ce qu'on appelle les « humeurs » au XVIIe siècle. Essayez d'établir une correspondance entre les quatre « humeurs » de la médecine grecque (encore au usage au temps de Racine), et les quatre personnages principaux de la pièce.

✳ À retenir

La scène 1 de l'acte I permet de présenter aux spectateurs l'essentiel de ce qu'il doit savoir sur le passé, les personnages, leur situation et leurs relations. Ici, on nous rappelle les événements de la guerre de Troie, et on nous expose la « chaîne » des sentiments amoureux. C'est pourquoi la première scène s'appelle scène d'exposition.

Scène 2   PYRRHUS, ORESTE, PHŒNIX

ORESTE

Avant que tous les Grecs vous parlent par ma voix,
Souffrez[1] que j'ose ici me flatter de[2] leur choix,
145 Et qu'à vos yeux, Seigneur, je montre quelque joie
De voir le fils d'Achille et le vainqueur de Troie.
Oui, comme ses exploits nous admirons vos coups[3].
Hector tomba sous lui, Troie expira sous vous ;
Et vous avez montré, par une heureuse audace,
150 Que le fils seul d'Achille[4] a pu remplir sa place.
Mais, ce qu'il n'eût point fait, la Grèce avec douleur
Vous voit du sang troyen relever le malheur,
Et, vous laissant toucher d'une pitié funeste,
D'une guerre si longue entretenir le reste[5].
155 Ne vous souvient-il plus, Seigneur, quel fut Hector ?
Nos peuples affaiblis s'en souviennent encor.
Son nom seul fait frémir nos veuves et nos filles,
Et dans toute la Grèce il n'est point de familles
Qui ne demandent compte à ce malheureux fils
160 D'un père ou d'un époux qu'Hector leur a ravis.
Et qui sait ce qu'un jour ce fils peut entreprendre ?
Peut-être dans nos ports nous le verrons descendre,
Tel qu'on a vu son père, embraser nos vaisseaux
Et, la flamme à la main, les suivre sur les eaux[6].
165 Oserai-je, Seigneur, dire ce que je pense ?
Vous-même de vos soins craignez la récompense[7],

---

1. **Souffrez :** permettez.
2. **Me flatter de :** me réjouir de.
3. **Coups :** exploits.
4. **Le fils seul d'Achille :** seul le fils d'Achille.
5. **Entretenir le reste :** épargner le survivant.
6. **Les suivre sur les eaux :** allusion à une attaque menée par Hector contre la flotte des Grecs.
7. **Récompense :** conséquence.

Et que dans votre sein ce serpent élevé
Ne vous punisse un jour de l'avoir conservé[1].
Enfin de tous les Grecs satisfaites l'envie,
170 Assurez leur vengeance, assurez votre vie ;
Perdez un ennemi d'autant plus dangereux
Qu'il s'essaiera sur vous à combattre contre eux.

PYRRHUS

La Grèce en ma faveur est trop inquiétée.
De soins plus importants je l'ai crue agitée,
175 Seigneur ; et, sur le nom de son ambassadeur,
J'avais dans ses projets conçu plus de grandeur.
Qui croirait en effet qu'une telle entreprise
Du fils d'Agamemnon méritât l'entremise ; *intervention*
Qu'un peuple tout entier, tant de fois triomphant,
Condescends 180 N'eût daigné conspirer que la mort d'un enfant ?
Mais à qui prétend-on que je le sacrifie ?
La Grèce a-t-elle encor quelque droit sur sa vie ?
Et seul de tous les Grecs ne m'est-il pas permis
D'ordonner d'un captif[2] que le sort m'a soumis ?
185 Oui, Seigneur, lorsqu'au pied des murs fumants de Troie
Les vainqueurs tout sanglants partagèrent leur proie,
Le sort, dont les arrêts[3] furent alors suivis,
Fit tomber en mes mains Andromaque et son fils.
Hécube près d'Ulysse acheva sa misère ;
190 Cassandre dans Argos a suivi votre père :
Sur eux, sur leurs captifs, ai-je étendu mes droits ?
Ai-je enfin disposé du fruit de leurs exploits ?
On craint qu'avec Hector Troie un jour ne renaisse ;
Son fils peut me ravir le jour que je lui laisse.
195 Seigneur, tant de prudence entraîne trop de soin ;
Je ne sais point prévoir les malheurs de si loin.
Je songe quelle était autrefois cette ville,
Si superbe en remparts, en héros si fertile,

---

1. **Conservé :** sauvé.
2. **Ordonner un captif :** décider du sort d'un prisonnier.
3. **Arrêts :** jugement, décision.

Maîtresse de l'Asie ; et je regarde enfin
200   Quel fut le sort de Troie[1] et quel est son destin[2].
Je ne vois que des tours que la cendre a couvertes,
Un fleuve teint de sang, des campagnes désertes,
Un enfant dans les fers ; et je ne puis songer *Contemplate*
Que Troie en cet état aspire à se venger.
205   Ah ! Si du fils d'Hector la perte était jurée,
Pourquoi d'un an entier l'avons-nous différée ?
Dans le sein de Priam[3] n'a-t-on pu[4] l'immoler ?
Sous tant de morts, sous Troie il fallait l'accabler[5].
Tout était juste alors : la vieillesse et l'enfance
210   En vain sur leur faiblesse appuyaient leur défense[6] ;
La victoire et la nuit, plus cruelles que nous,
Nous excitaient au meurtre et confondaient nos coups.
Mon courroux aux vaincus ne fut que trop sévère.
Cruelty Mais que ma cruauté survive à ma colère ? *anger*
215   Que, malgré la pitié dont je me sens saisir,
Dans le sang d'un enfant je me baigne à loisir[7] ?
Non, Seigneur. Que les Grecs cherchent quelque autre proie ; *prey*
Qu'ils poursuivent ailleurs ce qui reste de Troie.
De mes inimitiés[8] le cours est achevé ;
220   L'Épire sauvera ce que Troie a sauvé.

ORESTE

Seigneur, vous savez trop avec quel artifice
Un faux Astyanax fut offert au supplice
Où le seul fils d'Hector devait être conduit.
Ce n'est pas les Troyens, c'est Hector qu'on poursuit.

---

1. **Le sort de Troie :** sa destruction passée.
2. **Son destin :** sa disparition éternelle.
3. **Dans le sein de Priam :** dans les bras de Priam (son grand-père).
4. **N'a-t-on pu :** n'aurait-on pu.
5. **Accabler :** écraser.
6. **Sur leur faiblesse appuyaient leur défense :** prenaient leur faiblesse comme prétexte pour être épargnées.
7. **À loisir :** volontairement.
8. **Inimitiés :** haines.

225 Oui, les Grecs sur le fils persécutent le père[1] ;
Il a par trop de sang acheté[2] leur colère.
Ce n'est que dans le sien qu'elle peut expirer
Et jusque dans l'Épire il les peut attirer.
Prévenez-les[3].

PYRRHUS

Non, non. J'y consens avec joie !
230 Qu'ils cherchent dans l'Épire une seconde Troie ;
Qu'ils confondent leur haine, et ne distinguent plus
Le sang qui les fit vaincre et celui des vaincus.
Aussi bien ce n'est pas la première injustice
Dont la Grèce d'Achille a payé le service[4].
235 Hector en profita, Seigneur ; et quelque jour
Son fils en pourrait bien profiter à son tour.

ORESTE

Ainsi la Grèce en vous trouve un enfant rebelle ?

PYRRHUS

Et je n'ai donc vaincu que pour dépendre d'elle ?

ORESTE

Hermione, Seigneur, arrêtera vos coups :
240 Ses yeux[5] s'opposeront entre son père et vous.

PYRRHUS

Hermione, Seigneur, peut m'être toujours chère,
Je puis l'aimer, sans être esclave de son père ;
Et je saurai peut-être accorder quelque jour
Les soins de ma grandeur et ceux de mon amour.
245 Vous pouvez cependant voir la fille d'Hélène :

---

1. **Sur le fils persécutent le père :** pourchassent le père à travers le fils.
2. **Acheté :** mérité.
3. **Prévenez-les :** devancez-les.
4. **Le service :** l'aide. Allusion à un premier désaccord entre Achille et les autres Grecs, au sujet de la prisonnière troyenne Briséis. Pour protester contre son enlèvement, Achille a cessé de soutenir les Grecs pendant un moment, et Hector en a profité pour les attaquer.
5. **Ses yeux :** ici, son amour.

Du sang qui vous unit je sais l'étroite chaîne[1].
Après cela, Seigneur, je ne vous retiens plus,
Et vous pourrez aux Grecs annoncer mon refus.

Scène 3   PYRRHUS, PHŒNIX

PHŒNIX
Ainsi vous l'envoyez aux pieds de sa maîtresse ?

PYRRHUS
250   On dit qu'il a longtemps brûlé pour[2] la princesse.

PHŒNIX
Mais si ce feu, Seigneur, vient à se <u>rallumer</u> ?   *rekindle*
S'il lui rendait son cœur, s'il s'en faisait aimer ?

PYRRHUS
Ah ! Qu'ils s'aiment, Phœnix, j'y consens. Qu'elle parte.
Que, charmés l'un de l'autre, ils retournent à Sparte !
255   Tous nos ports sont ouverts et pour elle et pour lui.
Qu'elle <u>m'épargnerait</u> de contrainte[3] et d'ennui[4] !
spare me

PHŒNIX
Seigneur...

PYRRHUS
Une autre fois je t'ouvrirai mon âme :
Andromaque <u>paraît</u>.
appears

---

1. **Chaîne :** Hermione et Oreste sont cousins.
2. **Brûlé pour :** aimé avec passion.
3. **Contrainte :** allusion au fait que Pyrrhus se sent obligé d'épouser Hermione.
4. **Ennui :** peine, tourment.

Scène 4 PYRRHUS, ANDROMAQUE, CÉPHISE

amour pas
réciproque

PYRRHUS
Me cherchiez-vous, Madame ?
Un espoir si charmant me serait-il permis ?

ANDROMAQUE
260 Je passais jusqu'aux lieux où l'on garde mon fils.
Puisqu'une fois le jour vous souffrez que je voie
Le seul bien qui me reste et d'Hector et de Troie,
J'allais, Seigneur, pleurer un moment avec lui :
Je ne l'ai point encore embrassé d'aujourd'hui.

PYRRHUS
265 Ah ! Madame, les Grecs, si j'en crois leurs alarmes,
Vous donneront bientôt d'autres sujets de larmes.

ANDROMAQUE
Et quelle est cette peur dont leur cœur est frappé,
Seigneur ? Quelque Troyen vous est-il échappé ?

PYRRHUS
Leur haine pour Hector n'est pas encore éteinte :
270 Ils redoutent son fils.

ANDROMAQUE
Digne objet de leur crainte !
Un enfant malheureux, qui ne sait pas encor
Que Pyrrhus est son maître, et qu'il est fils d'Hector.

PYRRHUS
Tel qu'il est, tous les Grecs demandent qu'il périsse.
Le fils d'Agamemnon vient hâter son supplice.

ANDROMAQUE
275 Et vous prononcerez un arrêt si cruel ?
Est-ce mon intérêt[1] qui le rend criminel ?
Hélas ! On ne craint point qu'il venge un jour son père ;

---

1. **Mon intérêt :** le fait que je sois sa mère.

On craint qu'il n'essuyât les larmes de sa mère.
Il m'aurait tenu lieu d'un père et d'un époux ;
280 Mais il me faut tout perdre, et toujours par vos coups.

PYRRHUS

Madame, mes refus ont prévenu vos larmes.
Tous les Grecs m'ont déjà menacé de leurs armes ;
devoir Mais, dussent-ils encore, en repassant les eaux,
Demander votre fils avec mille vaisseaux,
285 Coûtât-il tout le sang qu'Hélène a fait répandre[1],
Dussé-je après dix ans voir mon palais en cendre,
Je ne balance point[2], je vole à son secours.
Je défendrai sa vie aux dépens de mes jours.
Mais, parmi ces périls où je cours pour vous plaire,
290 Me refuserez-vous un regard moins sévère ?
Haï de tous les Grecs, pressé de tous côtés,
Me faudra-t-il combattre encor vos cruautés ?
Je vous offre mon bras. Puis-je espérer encore
Que vous accepterez un cœur qui vous adore ?
295 En combattant pour vous, me sera-t-il permis
De ne vous point compter parmi mes ennemis ?

ANDROMAQUE

Seigneur, que faites-vous, et que dira la Grèce ?
Faut-il qu'un si grand cœur montre tant de faiblesse ?
Voulez-vous qu'un dessein si beau, si généreux,
300 Passe pour le transport d'un esprit amoureux ?
Captive, toujours triste, importune à moi-même,
Pouvez-vous souhaiter qu'Andromaque vous aime ?
Quels charmes ont pour vous des yeux infortunés
Qu'à des pleurs éternels vous avez condamnés ?
305 Non, non, d'un ennemi respecter la misère,
Sauver des malheureux, rendre un fils à sa mère,
De cent peuples[3] pour lui combattre la rigueur

---

1. **Tout le sang qu'Hélène a fait répandre :** toutes les victimes de la guerre de Troie.
2. **Je ne balance point :** je n'hésite pas.
3. **Cent peuples :** les innombrables cités de la Grèce.

Sans me faire payer son salut de mon cœur,
Malgré moi s'il le faut, lui donner un asile :
310 Seigneur, voilà des soins dignes du fils d'Achille.

PYRRHUS

Hé quoi ! Votre courroux n'a-t-il pas eu son cours[1] ?
Peut-on haïr sans cesse ? et punit-on toujours ?
J'ai fait des malheureux, sans doute ; et la Phrygie
Cent fois de votre sang a vu ma main rougie.
315 Mais que vos yeux sur moi se sont bien exercés[2] !
Qu'ils m'ont vendu bien cher les pleurs qu'ils ont versés !
De combien de remords m'ont-ils rendu la proie !
Je souffre tous les maux que j'ai faits devant Troie :
Vaincu, chargé de fers, de regrets consumé,
320 Brûlé de plus de feux[3] que je n'en allumai,
Tant de soins, tant de pleurs, tant d'ardeurs inquiètes...
Hélas ! Fus-je jamais si cruel[4] que vous l'êtes ?
Mais enfin, tour à tour, c'est assez nous punir ;
Nos ennemis communs devraient nous réunir.
325 Madame, dites-moi seulement que j'espère[5],
Je vous rends votre fils, et je lui sers de père ;
Je l'instruirai moi-même à venger les Troyens ;
J'irai punir les Grecs de vos maux et des miens.
Animé d'un regard[6], je puis tout entreprendre : *undertake*
330 Votre Ilion encor peut sortir de sa cendre ;
Je puis, en moins de temps que les Grecs ne l'ont pris,
Dans ses murs relevés couronner votre fils.

ANDROMAQUE

Seigneur, tant de grandeurs ne nous touchent plus guère :
Je les lui promettais tant qu'a vécu son père.
335 Non, vous n'espérez plus de nous revoir encor,

---

1. **Eu son cours :** eu le temps de s'épuiser.
2. **Se sont exercés :** se sont employés à me faire souffrir.
3. **Feux :** Pyrrhus joue sur le double sens du mot, qui signifie à la fois « incendies » (de Troie) et « passion amoureuse » (pour Andromaque).
4. **Si cruel :** aussi cruel.
5. **Dites-moi seulement que j'espère :** donnez-moi un seul espoir.
6. **Animé d'un regard :** encouragé par un regard bienveillant de votre part.

Sacrés murs, que n'a pu conserver mon Hector.
À de moindres faveurs des malheureux prétendent,
Seigneur : c'est un exil que mes pleurs vous demandent.
Souffrez que, loin des Grecs, et même loin de vous,
340 J'aille cacher mon fils et pleurer mon époux.
Votre amour contre nous allume trop de haine.
Retournez, retournez à la fille d'Hélène.

PYRRHUS

Et le puis-je, Madame ? Ah ! Que vous me gênez[1] !
Comment lui rendre un cœur que vous me retenez ?
345 Je sais que de mes vœux on lui promit l'empire ;
Je sais que pour régner elle vint dans l'Épire ;
Le sort vous y voulut l'une et l'autre amener[2] :
Vous, pour porter des fers[3] ; elle, pour en donner.
Cependant ai-je pris quelque soin de lui plaire ?
350 Et ne dirait-on pas, en voyant au contraire
Vos charmes tout-puissants, et les siens dédaignés,
Qu'elle est ici captive et que vous y régnez ?
Ah ! Qu'un seul des soupirs que mon cœur vous envoie,
S'il s'échappait vers elle, y porterait de joie !

ANDROMAQUE

355 Et pourquoi vos soupirs seraient-ils repoussés ?
Aurait-elle oublié vos services passés ?
Troie, Hector, contre vous révoltent-ils son âme ?
Aux cendres[4] d'un époux doit-elle enfin sa flamme ?
Et quel époux encore ! Ah ! Souvenir cruel !
360 Sa mort seule a rendu votre père immortel[5].
Il doit au sang d'Hector tout l'éclat de ses armes,
Et vous n'êtes tous deux connus que par mes larmes.

---

1. **Vous me gênez :** vous me faites souffrir.
2. **Le sort vous y voulut l'une et l'autre amener :** le sort a voulu qu'Andromaque et Hermione soient amenées chez Pyrrhus, en Épire.
3. **Fers :** Pyrrhus joue sur le sens propre du mot (Andromaque est sa prisonnière) et sur le sens figuré (Hermione voudrait qu'il soit son « prisonnier » amoureux).
4. **Cendres :** dépouille mortelle.
5. **Immortel :** célèbre pour l'éternité.

PYRRHUS

Hé bien, Madame, hé bien, il faut vous obéir :
Il faut vous oublier, ou plutôt vous haïr.
365 Oui, mes vœux ont trop loin poussé leur violence
Pour ne plus s'arrêter que dans l'indifférence.
Songez-y bien : il faut désormais que mon cœur,
S'il n'aime avec transport[1], haïsse avec fureur.
Je n'épargnerai rien dans ma juste colère :
370 Le fils me répondra des mépris de la mère[2] ;
La Grèce le demande, et je ne prétends pas[3]
Mettre toujours ma gloire à sauver des ingrats. *ungrateful*

ANDROMAQUE

Hélas ! Il mourra donc. Il n'a pour sa défense
Que les pleurs de sa mère et que son innocence.
375 Et peut-être après tout, en l'état où je suis,
Sa mort avancera la fin de mes ennuis.
Je prolongeais pour lui ma vie et ma misère ;
Mais enfin sur ses pas j'irai revoir son père.
Ainsi tous trois, Seigneur, par vos soins réunis,
380 Nous vous...

PYRRHUS

Allez, Madame, allez voir votre fils.
Peut-être, en le voyant, votre amour plus timide[4] *Elle ne l'aime pas*
Ne prendra pas toujours sa colère pour guide.
Pour savoir nos destins j'irai vous retrouver.
Madame, en l'embrassant, songez à le sauver.

---

1. **Avec transport :** avec force.
2. **Répondra des mépris de la mère :** paiera pour les refus de la mère.
3. **Je ne prétends pas :** je n'ai pas l'intention.
4. **Votre amour plus timide :** votre amour maternel, effrayé.

Clefs d'analyse

Action et personnages

1. Que fait Oreste dans la scène 2 ? Sa mission est-elle un succès ou un échec ?

2. Relevez les arguments que Pyrrhus utilise pour justifier son refus de livrer Astyanax. En avoue-t-il la vraie raison ? Comment sa passion cachée se trahit-elle pourtant ?

3. La guerre de Troie est-elle vraiment finie ? Quel danger menace Pyrrhus ? Relevez des expressions qui montrent les tensions entre les Grecs et le roi.

4. Comment Pyrrhus voit-il les sentiments d'Oreste pour Hermione ? Pourquoi ?

5. Dans la scène 4, récapitulez les propositions que Pyrrhus fait à Andromaque. Pourquoi celle-ci ne peut-elle pas les accepter ?

6. Comment évolue le discours de Pyrrhus entre le début et la fin de la scène 4 ? De quel genre d'amour s'agit-il ?

Langue

7. Dans la première réplique d'Oreste à Pyrrhus, relevez les expressions élogieuses ou flatteuses. Quelle est leur intention ?

8. Quelle figure de style voyez-vous dans l'expression « Troie expira sous vous » (v. 148) ? Trouvez-en d'autres exemples. Quel est l'intérêt de ce procédé ?

9. Quel est le mode dominant dans le discours d'Oreste, aux vers 166-172 ? Ce mode convient-il à la situation d'énonciation ? Pourquoi ?

10. Par quelle métaphore animale Oreste désigne-t-il Astyanax ? Recherchez, à la fin de la pièce, un vers célèbre où cet animal reparaît. Que symbolise-t-il ?

11. Dans la scène 4, relevez des exemples de ces métaphores amoureuses : « feux », « fers », « cendres ». Expliquez-les, en montrant le double discours qu'elles permettent.

Clefs d'analyse   Acte I, scènes 2 à 4

Genre ou thèmes

12. Montrez le contraste existant entre les deux visages de Pyrrhus, quand il s'adresse à Oreste, et quand il s'adresse à Andromaque. Racine donne-t-il ici l'image d'un bon roi ?

13. Relevez les emplois du mot « sang » dans la scène 2. Donnez les différents sens du mot, et montrez que différents thèmes tragiques s'y rejoignent. Cherchez l'étymologie du mot « cruel ». Que pouvez-vous en dire ?

14. Notez les allusions à la guerre de Troie dans la scène 4. Comment Pyrrhus et Andromaque voient-ils cette guerre ? Leurs attitudes sont-elles compatibles ?

15. Quel registre prédomine dans le discours d'Andromaque ? Pourquoi ?

Écriture

16. Replacez-vous à la fin de la guerre de Troie. Andromaque, parmi les vaincues, est donnée comme prisonnière à Pyrrhus. Imaginez les plaintes qu'elle exprime en quittant sa patrie.

Pour aller plus loin

17. Faites une recherche rapide sur *L'Iliade* d'Homère et *L'Énéide* de Virgile et notez ce qui concerne l'histoire d'Andromaque et d'Astyanax. Ce que raconte Racine est-il conforme aux sources anciennes ? À votre avis, pourquoi a-t-il modifié certains éléments du mythe ?

> ## ✳ À retenir
>
> La scène 4 de l'acte I nous montre la première entrevue entre Pyrrhus et Andromaque. Deux registres bien différents s'affrontent dans ce dialogue : le roi cherche à plaire, à séduire, à se faire aimer. C'est le style galant. Andromaque cherche à émouvoir, à exprimer ses plaintes et ses souffrances : c'est le style pathétique.

ACTE II
Scène 1 HERMIONE, CLÉONE

HERMIONE

385 Je fais ce que tu veux ; je consens qu'il me voie.
Je lui veux bien encore accorder cette joie.
Pylade va bientôt conduire ici ses pas ;
Mais si je m'en croyais, je ne le verrais pas.

CLÉONE

Et qu'est-ce que sa vue a pour vous de funeste ?
390 Madame, n'est-ce pas toujours le même Oreste
Dont vous avez cent fois souhaité le retour,
Et dont vous regrettiez la constance et l'amour ?

HERMIONE

C'est cet amour payé de trop d'ingratitude
Qui me rend en ces lieux sa présence si rude[1].
395 Quelle honte pour moi, quel triomphe pour lui,
De voir mon infortune égaler son ennui !
Est-ce là, dira-t-il, cette fière Hermione ?
Elle me dédaignait ; un autre l'abandonne.
L'ingrate, qui mettait son cœur à si haut prix,
400 Apprend donc à son tour à souffrir des mépris !
Ah ! Dieux !

CLÉONE

Ah ! Dissipez ces indignes alarmes :
Il a trop bien senti le pouvoir de vos charmes.
Vous croyez qu'un amant vienne vous insulter[2] ?
Il vous rapporte un cœur qu'il n'a pu vous ôter[3].
405 Mais vous ne dites point ce que vous mande un père[4].

---

1. **Rude :** difficile.
2. **Insulter :** provoquer, défier.
3. **Vous ôter :** vous reprendre.
4. **Ce que vous mande un père :** le message que vous avez reçu de votre père.

47

HERMIONE

Dans ses retardements[1] si Pyrrhus persévère,
À la mort du Troyen s'il ne veut consentir,
Mon père avec les Grecs m'ordonne de partir.

CLÉONE

Hé bien ! Madame, hé bien ! Écoutez donc Oreste.
410   Pyrrhus a commencé, faites au moins le reste.
Pour bien faire, il faudrait que vous le prévinssiez[2].
Ne m'avez-vous pas dit que vous le haïssiez ?

HERMIONE

Si je le hais, Cléone ! Il y va de ma gloire[3],
Après tant de bontés dont il perd la mémoire.
415   Lui qui me fut si cher, et qui m'a pu trahir,
Ah ! Je l'ai trop aimé pour ne le point haïr.

CLÉONE

Fuyez-le donc, Madame ; et puisqu'on vous adore...

HERMIONE

Ah ! Laisse à ma fureur le temps de croître encore ;
Contre mon ennemi laisse-moi m'assurer[4].
420   Cléone, avec horreur je m'en veux séparer.
Il n'y travaillera que trop bien, l'infidèle !

CLÉONE

Quoi ! Vous en attendez quelque injure nouvelle ?
Aimer une captive, et l'aimer à vos yeux[5],
Tout cela n'a donc pu vous le rendre odieux ?
425   Après ce qu'il a fait, que saurait-il donc faire ?
Il vous aurait déplu, s'il pouvait vous déplaire. *Displeased*

HERMIONE

Pourquoi veux-tu, cruelle, irriter mes ennuis[6] ?
fear Je crains de me connaître en l'état où je suis.

---

1. **Retardements :** retards, hésitations.
2. **Que vous le prévinssiez :** que vous preniez l'initiative (de la rupture).
3. **Gloire :** honneur.
4. **M'assurer :** préparer une riposte sûre.
5. **À vos yeux :** sous vos yeux.
6. **Irriter mes ennuis :** augmenter mon chagrin.

De tout ce que tu vois tâche de ne rien croire ;
430 Crois que je n'aime plus, vante-moi ma victoire ;
Crois que dans son dépit mon cœur est endurci, *hardened*
Hélas ! Et, s'il se peut, fais-le moi croire aussi.
Leave Tu veux que je le fuie ? Hé bien ! Rien ne m'arrête :
Allons. N'envions plus son indigne conquête[1] ;
435 Que sur lui sa captive étende son pouvoir.
Fuyons... Mais si l'ingrat rentrait dans son devoir !
Si la foi[2] dans son cœur retrouvait quelque place !
S'il venait à mes pieds me demander sa grâce !
Si sous mes lois, Amour, tu pouvais l'engager !
440 S'il voulait... Mais l'ingrat ne veut que m'outrager.
Demeurons toutefois pour troubler leur fortune ;
Prenons quelque plaisir à leur être importune ; *dérange par une présence*
Ou, le forçant de rompre un nœud[3] si solennel, *solemn*
Aux yeux de tous les Grecs rendons-le criminel.
445 J'ai déjà sur le fils attiré leur colère ;
Je veux qu'on vienne encor lui demander la mère.
Rendons-lui les tourments qu'elle me fait souffrir ;
Qu'elle le perde[4], ou bien qu'il la fasse périr.

CLÉONE

Vous pensez que des yeux toujours ouverts aux larmes
450 Se plaisent à troubler le pouvoir de vos charmes,
déprimé Et qu'un cœur accablé de tant de déplaisirs
De son persécuteur ait brigué les soupirs ? *sighs*
Voyez si sa douleur en paraît soulagée. *seems relieved*
Pourquoi donc les chagrins où son âme est plongée ?
455 Contre un amant qui plaît pourquoi tant de fierté ?

HERMIONE

Hélas ! Pour mon malheur, je l'ai trop écouté.
Je n'ai point du silence affecté le mystère :

---

1. **N'envions plus son indigne conquête :** ne cherchons plus son amour, il n'en vaut pas la peine.
2. **La foi :** la fidélité à son engagement.
3. **Un nœud :** une promesse de mariage.
4. **Qu'elle le perde :** qu'elle le fasse courir à sa perte.

Je croyais sans péril pouvoir être sincère,
Et, sans armer mes yeux d'un moment de rigueur,
460 Je n'ai pour lui parler consulté que mon cœur.
Et qui ne se serait comme moi déclarée
Sur la foi d'une amour[1] si saintement jurée ?
Me voyait-il de l'œil qu'il me voit aujourd'hui ?
Tu t'en souviens encor, tout conspirait pour lui[2] :
465 Ma famille vengée, et les Grecs dans la joie,
Nos vaisseaux tout chargés des dépouilles de Troie,
Les exploits de son père effacés par les siens,
Ses feux que je croyais plus ardents que les miens,
Mon cœur, toi-même enfin de sa gloire éblouie,
470 Avant qu'il me trahît, vous m'avez tous trahie.
Mais c'en est trop, Cléone, et quel que soit Pyrrhus,
Hermione est sensible, Oreste a des vertus.
Il sait aimer du moins, et même sans qu'on l'aime ;
Et peut-être il saura se faire aimer lui-même.
475 Allons : qu'il vienne enfin.

CLÉONE
Madame, le voici.

HERMIONE

Ah ! Je ne croyais pas qu'il fût si près d'ici.

Scène 2   HERMIONE, ORESTE, CLÉONE

HERMIONE

Le croirai-je, Seigneur, qu'un reste de tendresse
Vous fasse ici chercher une triste princesse ?
Ou ne dois-je imputer qu'à votre seul devoir
480 L'heureux empressement qui vous porte à me voir ?

---

1. **Une amour :** un amour.
2. **Tout conspirait pour lui :** tout s'arrangeait en sa faveur.

blindness

ORESTE

Tel est de mon amour l'<u>aveuglement</u> <u>funeste</u>, *deadly*
Vous le savez, Madame, et le destin d'Oreste
Est de venir sans cesse adorer vos attraits,
Et de jurer toujours qu'il n'y viendra jamais.
485 Je sais que vos regards vont rouvrir mes blessures,
Que tous mes pas vers vous sont autant de parjures[1] ;
Je le sais, j'en rougis. Mais j'atteste les dieux,
Témoins de la fureur de mes derniers adieux,
Que j'ai couru partout où ma perte certaine[2]   *déprimé - demande*
490 Dégageait mes serments et finissait ma peine.   *la mort*
J'ai mendié la mort chez des peuples cruels
Qui n'apaisaient leurs dieux que du sang des mortels :
Ils m'ont fermé leur temple ; et ces peuples barbares
De mon sang prodigué sont devenus avares[3].
495 Enfin je viens à vous, et je me vois réduit
À chercher dans vos yeux une mort qui me fuit.
Mon désespoir n'attend que leur indifférence :
Ils n'ont qu'à m'interdire un reste d'espérance ;
Ils n'ont, pour avancer cette mort où je cours[4],
500 Qu'à me dire une fois[5] ce qu'ils m'ont dit toujours.
Voilà, depuis un an, le seul soin qui m'anime.
Madame, c'est à vous de prendre une victime
Que les Scythes[6] auraient dérobée à vos coups,
Si j'en avais trouvé d'aussi cruels que vous.   *amour → haine*

HERMIONE

505 Quittez[7], Seigneur, quittez ce <u>funeste</u> langage.
À des soins plus pressants la Grèce vous engage.
Que parlez-vous du Scythe et de mes <u>cruautés</u> ?   *cruelties*

---

1. **Parjures :** revirements (Oreste s'est juré de ne plus aimer Hermione).
2. **Ma perte certaine :** le danger de mort.
3. **De mon sang prodigué sont devenus avares :** ont épargné mon sang, que j'aurais bien voulu verser (en combattant contre eux).
4. **Où je cours :** dans laquelle je veux me précipiter.
5. **Une fois :** une fois de plus.
6. **Les Scythes :** peuple barbare qui habitait sur le territoire de l'actuelle Ukraine.
7. **Quittez :** laissez.

Songez à tous ces rois que vous représentez.
Faut-il que d'un transport leur vengeance dépende ?
510 Est-ce le sang d'Oreste enfin qu'on vous demande ?
Dégagez-vous des soins[1] dont vous êtes chargé.

ORESTE

Les refus de Pyrrhus m'ont assez dégagé,
Madame : il me renvoie ; et quelque autre puissance
Lui fait du fils d'Hector embrasser la défense.

HERMIONE

515 L'infidèle !

ORESTE

Ainsi donc, tout prêt à le quitter,
Sur mon propre destin je viens vous consulter.
Déjà même je crois entendre la réponse
Qu'en secret contre moi votre haine prononce.

HERMIONE

Hé quoi ! Toujours injuste en vos tristes discours,
520 De mon inimitié vous plaindrez-vous toujours ?
Quelle est cette rigueur tant de fois alléguée ?
J'ai passé dans l'Épire où j'étais reléguée[2] :
Mon père l'ordonnait. Mais qui sait si depuis
Je n'ai point en secret partagé vos ennuis ?
525 Pensez-vous avoir seul éprouvé des alarmes ?
Que l'Épire jamais n'ait vu couler mes larmes ?
Enfin, qui vous a dit que, malgré mon devoir,
Je n'ai pas quelquefois souhaité de vous voir ?

ORESTE

Souhaité de me voir ! Ah ! Divine Princesse...
530 Mais, de grâce, est-ce à moi que ce discours s'adresse ?
Ouvrez vos yeux : songez qu'Oreste est devant vous,
Oreste, si longtemps l'objet de leur courroux.

---

1. **Dégagez-vous des soins :** acquittez-vous de la mission.
2. **Reléguée :** obligée de me rendre.

HERMIONE

Oui, c'est vous dont l'amour, naissant avec leurs charmes,
Leur apprit le premier le pouvoir de leurs armes ;
535 Vous que mille vertus me forçaient d'estimer ;
Vous que j'ai plaint, enfin que je voudrais aimer.

ORESTE

Je vous entends[1]. Tel est mon partage[2] funeste :
Le cœur est pour Pyrrhus, et les vœux pour Oreste.

HERMIONE

Ah ! Ne souhaitez pas le destin de Pyrrhus ;
540 Je vous haïrais trop.

ORESTE

                Vous m'en aimeriez plus.
Ah ! Que vous me verriez d'un regard bien contraire !
Vous me voulez aimer, et je ne puis vous plaire ;
Et, l'amour seul alors se faisant obéir,
Vous m'aimeriez, Madame, en me voulant haïr :
545 Ô Dieux ! tant de respects, une amitié si tendre...
Que de raisons pour moi[3], si vous pouviez m'entendre !
Vous seule pour Pyrrhus disputez[4] aujourd'hui,
Peut-être malgré vous, sans doute malgré lui.
Car enfin il vous hait ; son âme ailleurs éprise
550 N'a plus...

HERMIONE

          Qui vous l'a dit, Seigneur, qu'il me méprise ?
Ses regards, ses discours vous l'ont-ils donc appris ?
Jugez-vous que ma vue inspire des mépris ?
Qu'elle allume en un cœur des feux si peu durables ?
Peut-être d'autres yeux[5] me sont plus favorables.

---

1. **Je vous entends :** je comprends ce que vous insinuez.
2. **Mon partage :** la part qui me revient.
3. **Que de raisons pour moi :** que d'arguments en ma faveur.
4. **Vous seule pour Pyrrhus disputez :** vous cherchez à vous entendre avec Pyrrhus, mais ce n'est pas réciproque.
5. **D'autres yeux :** un autre point de vue que le vôtre.

ORESTE

555 Poursuivez : il est beau de m'insulter[1] ainsi.
Cruelle, c'est donc moi qui vous méprise ici ?
Vos yeux n'ont pas assez éprouvé ma constance ?
Je suis donc un témoin de leur peu de puissance ?
Je les ai méprisés ? Ah ! Qu'ils voudraient bien voir
560 Mon rival, comme moi, mépriser leur pouvoir !

HERMIONE

Que m'importe, Seigneur, sa haine ou sa tendresse ?
Allez contre un rebelle armer toute la Grèce ;
Rapportez-lui le prix de sa rébellion ;
Qu'on fasse de l'Épire un second Ilion[2].
565 Allez. Après cela direz-vous que je l'aime ?

ORESTE

Madame, faites plus, et venez-y vous-même.
Voulez-vous demeurer pour otage en ces lieux ?
Venez dans tous les cœurs faire parler vos yeux[3].
Faisons de notre haine une commune attaque.

HERMIONE

570 Mais, Seigneur, cependant[4], s'il épouse Andromaque ?

ORESTE

Hé ! Madame.

HERMIONE

Songez quelle honte pour nous
Si d'une Phrygienne il devenait l'époux !

ORESTE

Et vous le haïssez ? Avouez-le, Madame,
L'amour n'est pas un feu qu'on renferme en une âme :
575 Tout nous trahit, la voix, le silence, les yeux,
Et les feux mal couverts n'en éclatent que mieux.

---

1. **M'insulter :** me blesser.
2. **Un second Ilion :** une autre Troie.
3. **Faire parler vos yeux :** rendre public le spectacle de votre chagrin.
4. **Cependant :** pendant ce temps.

HERMIONE

Seigneur, je le vois bien, votre âme prévenue[1]
Répand sur mes discours le venin qui la tue,
Toujours dans mes raisons cherche quelque détour,
580 Et croit qu'en moi la haine est un effort d'amour.
Il faut donc m'expliquer : vous agirez ensuite.
Vous savez qu'en ces lieux mon devoir m'a conduite ;
Mon devoir m'y retient, et je n'en puis partir
Que[2] mon père ou Pyrrhus ne m'en fasse sortir.
585 De la part de mon père allez lui faire entendre
Que l'ennemi des Grecs ne peut être son gendre.
Du Troyen ou de moi faites-le décider[3] ;
Qu'il songe qui des deux il veut rendre ou garder ;
Enfin qu'il me renvoie, ou bien qu'il vous le livre.
590 Adieu. S'il y consent, je suis prête à vous suivre.

Rachel dans le rôle d'Hermione.

---

1. **Prévenue :** méfiante.
2. **Que :** avant que.
3. **Faites-le décider :** obligez-le à choisir.

Clefs d'analyse

Action et personnages

1. Quelles sont les fonctions de Cléone dans la scène 1 ?

2. À plusieurs reprises, on propose à Hermione de quitter l'Épire. Retrouvez ces passages dans les deux scènes. Est-elle prête pour ce départ ? Quel motif a-t-elle de refuser ? Est-ce la véritable raison pour laquelle elle reste chez Pyrrhus ?

3. Hermione aime-t-elle Oreste ? Que lui laisse-t-elle espérer ? Qu'attend-elle de lui ? Comment qualifiez-vous cette attitude ?

4. Depuis quand Oreste n'a-t-il pas vu Hermione ? Ses sentiments ont-ils changé ? Qu'a-t-il fait depuis ce temps ? Pourquoi ?

5. Dans la dernière réplique de la scène 2, quelle mission Hermione confie-t-elle à son cousin ? Quel rôle celui-ci va-t-il jouer ?

Langue

6. Relevez les pronoms personnels dans la première réplique d'Hermione (v. 385-388). Que peut-on penser de son caractère ? En quoi le vers 388 est-il significatif de ses contradictions ?

7. Relevez les différentes exclamations dans la scène 1. Que nous apprennent-elles sur l'état émotionnel d'Hermione ?

8. Aux vers 436-440, quel type de proposition subordonnée la princesse utilise-t-elle ? Pourquoi ? Quel est le temps utilisé dans ces subordonnées, et quelle en est la valeur ?

9. Quels sont les termes qu'Oreste emploie pour qualifier sa cousine ? Commentez-les.

10. Quel type de phrase Hermione utilise-t-elle aux vers 562-565 ? Quel autre aspect de son caractère cela suggère-t-il ?

11. Dans la scène 2, trouvez un synonyme de « Troie », de « Troyen ».

Genre ou thèmes

12. Pourquoi Hermione hésite-t-elle à recevoir Oreste ? En quoi les deux personnages se trouvent-ils dans une situation semblable ?

13. Quels sentiments Hermione éprouve-t-elle à l'égard d'Andromaque ? Cherchez des expressions qui le prouvent.

14. De qui parle Cléone au vers 455 ? De qui parle Hermione au vers suivant ? Montrez que l'enchaînement anormal de ces deux répliques trahit l'obsession de la princesse.

15. Avec quel mot le nom d'Oreste rime-t-il deux fois dans la scène 2 ? Que signifie ce terme, et en quoi est-il typique du langage tragique ? Trouvez des mots de la même famille.

16. Quelle qualité Hermione reconnaît-elle à son cousin ? Pense-t-elle que cela pourrait lui être utile ?

17. Que veut dire Oreste au vers 538 ? Est-il dupe ?

Écriture

18. Écrivez une réplique dans laquelle Oreste cherche à convaincre Hermione de l'aimer lui plutôt que Pyrrhus.

19. Imaginez les aventures détaillées d'Oreste au pays des Scythes. Vous utiliserez les temps du récit et la troisième personne.

Pour aller plus loin

20. Faites une recherche sur les parents d'Hermione et leur rôle dans la guerre de Troie. Qu'est-ce qui, chez Hermione, peut rappeler sa mère ? Quels sentiments la princesse éprouve-t-elle pour son père ? Trouvez d'autres exemples de personnages chez lesquels l'hérédité joue un rôle important.

✳ À retenir

Chez Racine, l'amour prend la forme de la passion tragique. Celui qui aime souffre et n'est pas aimé. L'amour s'apparente à une folie qui trouble l'esprit des personnages, et conduit souvent à la haine ou au crime. Les Grecs nommaient « hubris » ce caractère emporté et violent des héros tragiques.

Scène 3 ORESTE, *seul.*

ORESTE

Oui, oui, vous me suivrez, n'en doutez nullement ;
Je vous réponds déjà de son consentement.
Je ne crains pas enfin que Pyrrhus la retienne :
Il n'a devant les yeux que sa chère Troyenne.
595 Tout autre objet le blesse[1] ; et peut-être aujourd'hui
Il n'attend qu'un prétexte à l'éloigner[2] de lui.
Nous n'avons qu'à parler : c'en est fait. Quelle joie
D'enlever à l'Épire une si belle <u>proie</u> ! prey
Sauve tout ce qui reste et de Troie et d'Hector,
600 Garde son fils, sa veuve, et mille autres encor,
Épire : c'est assez qu'Hermione rendue[3]
Perde à jamais tes bords et ton prince de vue.
Mais un heureux destin le conduit en ces lieux.
Parlons. À tant d'attraits, Amour, ferme ses yeux !

Scène 4 PYRRHUS, ORESTE, PHŒNIX

PYRRHUS

605 Je vous cherchais, Seigneur. Un peu de violence
M'a fait de vos raisons combattre la puissance,
Je l'<u>avoue</u> ; et depuis que je vous ai quitté, *Confess*
J'en ai senti la force et connu l'équité[4].

---

1. **Tout autre objet le blesse :** toute autre femme qu'Andromaque lui déplaît.
2. **À l'éloigner :** pour l'éloigner.
3. **Hermione rendue :** sous-entendu, à Oreste.
4. **J'en ai [...] connu l'équité :** j'ai compris la justesse de vos arguments.

J'ai songé comme vous, qu'à la Grèce, à mon père,
610 À moi-même, en un mot, je devenais contraire ;
Que je relevais Troie, et rendais imparfait
Tout ce qu'a fait Achille et tout ce que j'ai fait.
Je ne condamne plus un courroux légitime,
Et l'on vous va, Seigneur, livrer votre victime.

ORESTE

615 Seigneur, par ce conseil[1] prudent et rigoureux,
C'est acheter la paix du sang d'un malheureux.

PYRRHUS

Oui ; mais je veux, Seigneur, l'assurer davantage :
D'une éternelle paix Hermione est le gage ;
Je l'épouse. Il semblait qu'un spectacle si doux
620 N'attendît en ces lieux qu'un témoin tel que vous.
Vous y représentez tous les Grecs et son père,
Puisqu'en vous Ménélas voit revivre son frère.
Voyez-la donc. Allez. Dites-lui que demain
J'attends, avec la paix, son cœur de votre main[2].

ORESTE

625 Ah ! Dieux !

Scène 5 PYRRHUS, PHŒNIX

PYRRHUS

Hé bien, Phœnix, l'amour est-il le maître ?
Tes yeux refusent-ils encor de me connaître ?

PHŒNIX

Ah ! Je vous reconnais ; et ce juste courroux,
Ainsi qu'à tous les Grecs, Seigneur, vous rend à vous.

---

1. **Conseil :** décision, résolution.
2. **J'attends, avec la paix, son cœur de votre main :** par votre intermédiaire, j'attends la paix avec les Grecs et le cœur d'Hermione.

Ce n'est plus le jouet d'une flamme servile[1] :
630 C'est Pyrrhus, c'est le fils et le rival d'Achille,
Que la gloire à la fin ramène sous ses lois,
Qui triomphe de Troie une seconde fois.

PYRRHUS - dépit

Dis plutôt qu'aujourd'hui commence ma victoire.
D'aujourd'hui seulement je jouis de ma gloire ;
635 Et mon cœur, aussi fier que tu l'as vu soumis,
Croit avoir en l'amour vaincu mille ennemis.
Considère, Phœnix, les troubles que j'évite,
ils Quelle foule de maux l'amour traîne à sa suite,
Que d'amis, de devoirs, j'allais sacrifier,
640 Quels périls... Un regard m'eût tout fait oublier.
Tous les Grecs conjurés fondaient[2] sur un rebelle.
Je trouvais du plaisir à me perdre pour elle.

PHŒNIX

Oui, je bénis, Seigneur, l'heureuse cruauté[3]
Qui vous rend...

PYRRHUS

Tu l'as vu, comme elle m'a traité.
645 Je pensais, en voyant sa tendresse alarmée,
Que son fils me la dût renvoyer désarmée.
J'allais voir le succès[4] de ses embrassements : mixed passions
Je n'ai trouvé que pleurs mêlés d'emportements.
Sa misère l'aigrit ; et, toujours plus farouche, wild
650 Cent fois le nom d'Hector est sorti de sa bouche.
Vainement à son fils j'assurais mon secours :
« C'est Hector, disait-elle en l'embrassant toujours ;
Voilà ses yeux, sa bouche, et déjà son audace ;
C'est lui-même, c'est toi, cher époux, que j'embrasse. »

---

1. **Flamme servile :** amour qui rend esclave. pour Andromaque
2. **Fondaient :** auraient fondu.
3. **L'heureuse cruauté :** l'indifférence d'Andromaque, qui permet ce revirement heureux.
4. **Succès :** résultat, issue.

655 Et quelle est sa pensée ? Attend-elle en ce jour
Que je lui laisse un fils pour nourrir son amour[1] ?

PHŒNIX

Sans doute, c'est le prix que vous gardait l'ingrate[2].
Mais laissez-la, Seigneur.

PYRRHUS

Je vois ce qui la flatte.
Sa beauté la rassure ; et, malgré mon courroux,
660 L'orgueilleuse m'attend encore à ses genoux.
Je la verrais aux miens, Phœnix, d'un œil tranquille.
Elle est veuve d'Hector, et je suis fils d'Achille :
Trop de haine sépare Andromaque et Pyrrhus.

PHŒNIX

Commencez donc, Seigneur, à ne m'en parler plus.
665 Allez voir Hermione ; et, content[3] de lui plaire,
Oubliez à ses pieds jusqu'à votre colère.
Vous-même à cet hymen venez la disposer.
Est-ce sur un rival qu'il s'en faut reposer ?
Il ne l'aime que trop.

PYRRHUS

Crois-tu, si je l'épouse,
670 Qu'Andromaque en son cœur n'en sera pas jalouse ?

PHŒNIX

Quoi ! Toujours Andromaque occupe votre esprit ?
Que vous importe, ô dieux ! sa joie ou son dépit ?
Quel charme, malgré vous, vers elle vous attire ?

PYRRHUS

Non, je n'ai pas bien dit tout ce qu'il lui faut dire :
675 Ma colère à ses yeux n'a paru qu'à demi ;
Elle ignore à quel point je suis son ennemi.
Retournons-y. Je veux la braver à sa vue[4]

---

1. **Son amour :** son amour pour Hector.
2. **Le prix que vous gardait l'ingrate :** le sort qu'elle vous réservait.
3. **Content :** satisfait.
4. **La braver à sa vue :** la défier en face.

Et donner à ma haine une libre étendue.
Viens voir tous ses attraits, Phœnix, humiliés.
680 Allons.

PHŒNIX

Allez, Seigneur, vous jeter à ses pieds.
Allez, en lui jurant que votre âme l'adore,
À de nouveaux mépris l'encourager encore.

PYRRHUS

Je le vois bien, tu crois que prêt à l'excuser
Mon cœur court après elle et cherche à s'apaiser.

PHŒNIX

685 Vous aimez : c'est assez.

PYRRHUS

Moi, l'aimer ? Une ingrate
Qui me hait d'autant plus que mon amour la flatte ?
Sans parents, sans amis, sans espoir que sur moi[1],
Je puis perdre son fils ; peut-être je le doi[2].
Étrangère... que dis-je ? esclave dans l'Épire,
690 Je lui donne son fils, mon âme, mon empire ;
Et je ne puis gagner dans son perfide cœur *dislayal*
rank D'autre rang que celui de son persécuteur ?
Non, non, je l'ai juré, ma vengeance est certaine :
Il faut bien une fois justifier sa haine.
695 J'abandonne son fils. Que de pleurs vont couler !
De quel nom sa douleur me va-t-elle appeler !
Quel spectacle pour elle aujourd'hui se dispose !
Elle en mourra, Phœnix, et j'en serai la cause.
C'est lui mettre moi-même un poignard dans le sein. *dagger*

PHŒNIX

700 Et pourquoi donc en faire éclater le dessein ?
Que ne consultiez-vous tantôt votre faiblesse ?

---

1. **Sans espoir que sur moi :** qui ne peut compter que sur moi.
2. **Doi :** dois.

PYRRHUS

Je t'entends. Mais excuse un reste de tendresse.
Crains-tu pour ma colère un si faible combat ?
D'un amour qui s'éteint c'est le dernier éclat.
705 Allons. À tes conseils, Phœnix, je m'abandonne.
Faut-il livrer son fils ? faut-il voir Hermione ?

PHŒNIX

Oui, voyez-la, Seigneur, et par des vœux soumis
Protestez-lui[1]...

PYRRHUS

Faisons tout ce que j'ai promis.

Michel Baron (1653-1729) dans le rôle de Pyrrhus.
Gravure de Prud'hen d'après Cauré.

---

1. **Protestez-lui :** promettez-lui.

Action et personnages

1. Quel est le ton du monologue d'Oreste dans la scène 3 ?
   En quoi les premiers mots en sont-ils l'indice ? Quels sont
   les différents destinataires de ce monologue ? À qui s'adresse,
   particulièrement, le vers 604 ? Expliquez.

2. Oreste s'attend-il à la nouvelle que lui apprend Pyrrhus dans
   la scène 4 ? Comment appelle-t-on ce genre de revirements
   au théâtre ? Analysez les deux répliques d'Oreste pour essayer
   de qualifier sa réaction.

3. Dans la scène 5, que nous laissent penser les deux premières
   questions de Pyrrhus sur ce qu'il a déclaré à Oreste juste avant ?

4. Quels sentiments Pyrrhus trahit-il lorsqu'il cite les propos
   d'Andromaque aux vers 652-654 ?

5. Montrez que le même schéma se reproduit plusieurs fois dans
   le dialogue entre Pyrrhus et Phoenix. De quoi le roi veut-il
   parler ? De quoi son gouverneur veut-il qu'il parle ? Quel rôle
   joue ici Phoenix ?

Langue

6. Quel verbe répété dans la scène 3 vous indique qu'Oreste
   surestime son influence ? Pourquoi se trompe-t-il ?

7. Comment comprenez-vous le mot « contraire » au vers 610 ?
   De quoi s'accuse ici Pyrrhus ?

8. À quel temps le roi déclare-t-il son intention d'épouser
   Hermione ? En quoi cela est-il douteux ? Montrez qu'il se
   contredit juste après. En tenant compte de la règle des trois
   unités dans le théâtre classique, ce mariage est-il probable ?

9. Au vers 663, pour quelles raisons Pyrrhus parle-t-il de lui-même
   à la troisième personne ? Qu'est-ce que cela sous-entend
   sur la vérité de cette affirmation ?

10. Relevez les phrases interrogatives dans la deuxième moitié
    de la scène 5. Quels sentiments traduisent ces interrogations ?

Genre ou thèmes

11. Oreste essaye-t-il de dissuader Pyrrhus ? Comparez son attitude dans cette scène avec ce que vous avez lu dans la scène 2 de l'acte I. Quel genre d'ambassadeur est-il donc ?

12. En annonçant son mariage avec Hermione, sur quel bienfait politique Pyrrhus insiste-t-il ? L'épouse-t-il par amour ou par raison ? Montrez à partir de là que, dans la pièce, l'opposition psychologique passion/raison correspond à une autre opposition, politique cette fois.

13. Dans la scène 5, trouvez des expressions qui montrent que le vocabulaire de la guerre et celui de l'amour sont étrangement proches. Est-ce étonnant, vu le contexte historique, le rang et le passé des personnages ?

14. Le revirement de Pyrrhus à la scène 4 vous semble-t-il crédible ? Relevez ce qui, dans la scène 5, traduit la faiblesse de cette résolution.

Écriture

15. Écrivez le monologue que pourrait tenir Oreste, mais après la scène 4 cette fois...

Pour aller plus loin

16. Dans la mythologie grecque, quel dieu représente l'Amour ? De qui est-il le fils ? Comment le représente-t-on ? Quel caractère lui prête-t-on ?

Clefs d'analyse

✳ À retenir

Phoenix n'est pas un simple figurant : son influence sur le roi est déterminante. Il lui rappelle ses devoirs et insiste pour qu'il sépare la vie publique de la vie privée. Cela vaut pour les autres personnages secondaires : Pylade, Cléone et Céphise. Ce ne sont pas des serviteurs, mais des courtisans : ils sont le reflet du pouvoir, de ses forces et de ses faiblesses.

ACTE III

Scène 1   ORESTE, PYLADE

PYLADE

Modérez donc, Seigneur, cette fureur extrême.
710 Je ne vous connais plus ; vous n'êtes plus vous-même.
Souffrez...

ORESTE

Non, tes conseils ne sont plus de saison,
Pylade ; je suis las d'écouter la raison.
C'est traîner trop longtemps ma vie et mon supplice.
Il faut que je l'enlève[1] ou bien que je périsse.
715 Le dessein en est pris, je le veux achever[2].
Oui, je le veux.

PYLADE

Hé bien ! il la faut enlever ;
J'y consens. Mais songez cependant où vous êtes.
Que croira-t-on de vous, à voir ce que vous faites ?
Dissimulez : calmez ce transport inquiet,
720 Commandez à vos yeux de garder le secret.
Ces gardes, cette cour, l'air qui vous environne,
Tout dépend de Pyrrhus[3], et surtout Hermione.
À ses regards surtout cachez votre courroux.
Ô dieux ! En cet état pourquoi la cherchiez-vous ?

ORESTE

725 Que sais-je ? De moi-même étais-je alors le maître ?
La fureur m'emportait, et je venais peut-être
Menacer à la fois l'ingrate et son amant.

---

1. **Que je l'enlève :** que j'enlève Hermione.
2. **Achever :** accomplir, réaliser.
3. **Tout dépend de Pyrrhus :** tout est soumis au pouvoir de Pyrrhus.

PYLADE

Et quel était[1] le fruit de cet emportement ?

ORESTE

Et quelle âme, dis-moi, ne serait éperdue[2]

730 Du coup dont ma raison vient d'être confondue[3] ?
Il épouse, dit-il, Hermione demain ;
Il veut, pour m'honorer, la tenir de ma main.
Ah ! Plutôt cette main dans le sang du barbare...

PYLADE

Vous l'accusez, Seigneur, de ce destin bizarre.

735 Cependant, tourmenté de ses propres desseins,
Il est peut-être à plaindre autant que je vous plains.

ORESTE

Non, non, je le connais, mon désespoir le flatte[4] ;
Sans moi, sans mon amour, il dédaignait l'ingrate ;
Ses charmes jusque-là n'avaient pu le toucher :

740 Le cruel ne la prend que pour me l'arracher.
Ah ! dieux ! c'en était fait : Hermione gagnée
Pour jamais de sa vue allait être éloignée.
Son cœur, entre l'amour et le dépit confus[5],
Pour se donner à moi n'attendait qu'un refus ;

745 Ses yeux s'ouvraient, Pylade ; elle écoutait Oreste,
Lui parlait, le plaignait... Un mot eût fait le reste.

PYLADE

Vous le croyez !

ORESTE

Hé quoi ? Ce courroux enflammé
Contre un ingrat...

PYLADE

Jamais il ne fut plus aimé.

---

1. **Était :** aurait été.
2. **Éperdue :** bouleversée.
3. **Confondue :** plongée dans la confusion.
4. **Le flatte :** lui plaît.
5. **Entre l'amour et le dépit confus :** hésitant entre l'amour et le dépit.

Pensez-vous, quand Pyrrhus vous l'aurait accordée,
750 Qu'un prétexte tout prêt ne l'eût pas retardée ?
M'en croirez-vous ? Lassé de ses trompeurs attraits,
Au lieu de l'enlever, fuyez-la pour jamais.
Quoi ! Votre amour se veut charger d'une furie[1]
Qui vous détestera, qui, toute votre vie,
755 Regrettant un hymen tout prêt à s'achever,
Voudra...

ORESTE

C'est pour cela que je veux l'enlever.
Tout lui rirait[2], Pylade ; et moi, pour mon partage,
Je n'emporterais donc qu'une inutile rage ?
J'irais loin d'elle encor tâcher de l'oublier ?
760 Non, non, à mes tourments je veux l'associer.
C'est trop gémir tout seul. Je suis las qu'on me plaigne.
Je prétends qu'à mon tour l'inhumaine me craigne,
Et que ses yeux cruels, à pleurer condamnés,
Me rendent tous les noms que je leur ai donnés.

PYLADE

765 Voilà donc le succès qu'aura votre ambassade :
Oreste ravisseur !

ORESTE

Et qu'importe, Pylade ?
Quand nos États vengés jouiront de mes soins,
L'ingrate de mes pleurs jouira-t-elle moins ?
Et que me servira que la Grèce m'admire
770 Tandis que je serai la fable[3] de l'Épire ?
Que veux-tu ? Mais, s'il faut ne te rien déguiser,
Mon innocence enfin commence à me peser.
Je ne sais de tout temps quelle injuste puissance
Laisse le crime en paix et poursuit l'innocence.

---

1. **Furie :** femme cruelle.
2. **Tout lui rirait :** tout finirait bien pour elle.
3. **La fable :** la risée.

775 De quelque part sur moi que je tourne les yeux[1],
Je ne vois que malheurs qui condamnent les dieux[2].
Méritons leur courroux, justifions leur haine,
Et que le fruit du crime en précède la peine.
Mais toi, par quelle erreur veux-tu toujours sur toi
780 Détourner un courroux qui ne cherche que moi ?
Assez et trop longtemps mon amitié t'accable :
Évite un malheureux, abandonne un coupable.
Cher Pylade, crois-moi, ta pitié te séduit[3] ;
Laisse-moi des périls dont j'attends tout le fruit.
785 Porte aux Grecs cet enfant que Pyrrhus m'abandonne.
Va-t'en.

PYLADE

Allons, Seigneur, enlevons Hermione.
Au travers des périls un grand cœur se fait jour.
Que ne peut l'amitié conduite par l'amour ?
Allons de tous vos Grecs encourager le zèle.
790 Nos vaisseaux sont tout prêts, et le vent nous appelle.
Je sais de ce palais tous les détours obscurs ;
Vous voyez que la mer en vient battre les murs ;
Et cette nuit, sans peine, une secrète voie
Jusqu'en votre vaisseau conduira votre proie.

ORESTE

795 J'abuse, cher ami, de ton trop d'amitié.
Mais pardonne à des maux dont toi seul as pitié ;
Excuse un malheureux qui perd tout ce qu'il aime,
Que tout le monde hait, et qui se hait lui-même.
Que ne puis-je à mon tour dans un sort plus heureux...

PYLADE

800 Dissimulez, Seigneur, c'est tout ce que je veux.

---

1. **De quelque part sur moi que je tourne les yeux :** quel que soit le côté de ma vie que je regarde.
2. **Qui condamnent les dieux :** qui montrent l'injustice des dieux.
3. **Ta pitié te séduit :** ta pitié pour moi t'induit en erreur.

Gardez qu'avant le coup votre dessein n'éclate[1] :
Oubliez jusque-là qu'Hermione est ingrate ;
Oubliez votre amour. Elle vient, je la vois.

ORESTE

Va-t'en. Réponds-moi d'elle, et je réponds de moi.

Scène 2 HERMIONE, ORESTE, CLÉONE

ORESTE

805 Hé bien ! Mes soins vous ont rendu votre conquête.
J'ai vu Pyrrhus, Madame, et votre hymen s'apprête. *is preparing*

HERMIONE

On le dit ; et de plus on vient de m'assurer
Que vous ne me cherchiez que pour m'y préparer.

ORESTE

Et votre âme à ses vœux ne sera pas rebelle ?

HERMIONE

810 Qui l'eût cru, que Pyrrhus ne fût point infidèle ?
Que sa flamme attendrait si tard pour éclater ?
Qu'il reviendrait à moi quand je l'allais quitter ?
Je veux croire avec vous qu'il redoute la Grèce,
Qu'il suit son intérêt plutôt que sa tendresse,
815 Que mes yeux sur votre âme étaient plus absolus[2].

ORESTE

Non, Madame ; il vous aime, et je n'en doute plus.
Vos yeux ne font-ils pas tout ce qu'ils veulent faire ?
Et vous ne vouliez pas sans doute lui déplaire.

---

1. **Gardez qu'avant le coup votre dessein n'éclate :** veillez à ne pas laisser voir votre projet avant de l'avoir exécuté.
2. **Absolus :** influents.

HERMIONE

Mais que puis-je, Seigneur ? On a promis ma foi.
820 Lui ravirai-je un bien qu'il ne tient pas de moi ?
L'amour ne règle pas le sort d'une princesse :
La gloire d'obéir est tout ce qu'on nous laisse.
Cependant je partais[1], et vous avez pu voir
Combien je relâchais pour vous de mon devoir.

ORESTE

825 Ah ! Que vous saviez bien, cruelle... Mais, Madame,
Chacun peut à son choix disposer de son âme.
La vôtre était à vous. J'espérais ; mais enfin
Vous l'avez pu donner sans me faire un larcin[2].
Je vous accuse aussi bien moins que la fortune.
830 Et pourquoi vous lasser d'une plainte importune ?
Tel est votre devoir, je l'avoue ; et le mien
Est de vous épargner un si triste entretien.

Scène 3 HERMIONE, CLÉONE

HERMIONE

Attendais-tu, Cléone, un courroux si modeste ?

CLÉONE

La douleur qui se tait n'en est que plus funeste.
835 Je le plains : d'autant plus qu'auteur de son ennui[3],
Le coup qui l'a perdu n'est parti que de lui.
Comptez depuis quel temps votre hymen se prépare :
Il a parlé, Madame, et Pyrrhus se déclare.

---

1. **Je partais :** j'allais partir.
2. **Larcin :** vol.
3. **Auteur de son ennui :** responsable de son malheur.

HERMIONE

Tu crois que Pyrrhus craint ? Et que craint-il encor ?
840 Des peuples qui, dix ans, ont fui devant Hector ;
Qui cent fois, effrayés de l'absence d'Achille,
Dans leurs vaisseaux brûlants ont cherché leur asile[1],
Et qu'on verrait encor, sans l'appui de son fils, ~~support~~
Redemander Hélène aux Troyens impunis ?
845 Non, Cléone, il n'est point ennemi de lui-même ;
Il veut tout ce qu'il fait ; et, s'il m'épouse, il m'aime.
Mais qu'Oreste à son gré m'impute[2] ses douleurs :
N'avons-nous d'entretien[3] que celui de ses pleurs ?
Pyrrhus revient à nous ! Hé bien ! chère Cléone,
850 Conçois-tu les transports de l'heureuse Hermione ?
Sais-tu quel est Pyrrhus ? T'es-tu fait raconter
Le nombre des exploits... Mais qui les peut compter ?
Intrépide, et partout suivi de la victoire,
Charmant, fidèle enfin : rien ne manque à sa gloire.
855 Songe...

CLÉONE

Dissimulez. Votre rivale en pleurs
Vient à vos pieds, sans doute, apporter ses douleurs.

HERMIONE

Dieux ! Ne puis-je à ma joie abandonner mon âme ?
Sortons : que lui dirais-je ?

---

1. **Asile :** refuge.
2. **M'impute :** m'attribue.
3. **Entretien :** sujet de conversation.

Clefs d'analyse

Action et personnages

1. Quelle est la résolution que prend Oreste vis-à-vis d'Hermione ? Est-ce la première fois qu'il y songe ? Citez, dans l'acte I, une première allusion à un tel acte.

2. Quel acte Oreste envisage-t-il au passage à l'égard de Pyrrhus ? Vers quel destin le héros semble-t-il courir ?

3. Analysez le rôle que joue Pylade dans la scène 1.

4. Comment Hermione reçoit-elle la nouvelle de ses noces avec Pyrrhus ? Est-elle tout à fait sincère dans ce qu'elle en dit à Oreste ?

5. Dans la scène 3, qu'est-ce que Hermione cherche à se prouver à elle-même ? En est-elle vraiment convaincue ?

6. En quoi le dernier conseil de Cléone ressemble-t-il à celui que Pylade adresse à son ami ?

Langue

7. Par quel mot Oreste commence-t-il deux de ses répliques dans la scène 1 ? En quoi cela indique-t-il un renversement de situation par rapport à l'acte I ?

8. Relevez les verbes à l'impératif utilisés par Pylade. Leur nombre est-il significatif ? Que pensez-vous, par ailleurs, du sens de ces verbes ?

9. Quelle est la valeur des présents aux vers 820-821 ? Qu'est-ce que cela sous-entend sur l'argumentation d'Hermione ?

10. Notez quelques expressions servant à l'éloge de Pyrrhus dans la réplique d'Hermione (v. 839-855). Que commence-t-elle par faire ? Par quoi poursuit-elle ?

Genre ou thèmes

11. En quoi la décision d'Oreste rappelle-t-elle un événement important de la guerre de Troie ? Les personnages sont-ils tout à fait libérés du passé ?

Clefs d'analyse   Acte III, scènes 1 à 3

12. L'expression « Ô dieux ! » (v. 724) est-elle une simple exclamation ? Que signifie-t-elle en réalité ?

13. De quoi parle Oreste lorsqu'il évoque une « injuste puissance » (v. 773) ? En quoi ce thème est-il fondamentalement tragique ?

14. Qui désigne le pronom « on » au vers 819 ? Hermione est-elle libre de choisir son destin ? Pourquoi ?

15. Quel vice caractérise l'attitude d'Oreste et d'Hermione ? Ont-ils le choix cependant ? Quelle image Racine donne-t-il ici du pouvoir politique ?

Écriture

16. Imaginez le discours que tiendrait Pylade s'il s'opposait totalement à la décision que vient de lui annoncer Oreste au vers 715. Vous veillerez au choix de ses arguments.

Pour aller plus loin

17. Cherchez, dans la mythologie, des exemples célèbres d'enlèvements. Quel dieu y a le plus souvent recours ? En quoi de tels actes correspondent-ils aux privilèges de ce dieu ? Par quelle ruse ce dieu parvient-il souvent à ses fins ? Comparez ces mythes avec le projet d'Oreste. En quoi ce projet est-il « inhumain » ?

✳ À retenir

Dans la tragédie grecque comme chez Racine, les personnages ne sont pas réellement libres de leurs actes, mais guidés par une force supérieure que les Anciens nommaient la « fatalité », et qui au XVIIe siècle correspond à la volonté de Dieu. Même leurs passions sont voulues par les dieux, et sont souvent la conséquence des fautes de leurs ancêtres.

Scène 4 ANDROMAQUE, HERMIONE, CLÉONE, CÉPHISE

ANDROMAQUE

Où fuyez-vous, Madame ?

N'est-ce point à vos yeux un spectacle assez doux

860 Que la veuve d'Hector pleurante[1] à vos genoux ?

Je ne viens point ici, par de jalouses larmes,

Vous envier un cœur qui se rend à vos charmes.

Par une main cruelle, hélas ! j'ai vu percer

Le seul[2] où mes regards prétendaient s'adresser.

865 Ma flamme par Hector fut jadis allumée ;

Avec lui dans la tombe elle s'est enfermée.

Mais il me reste un fils. Vous saurez quelque jour,

Madame, pour un fils jusqu'où va notre amour ;

Mais vous ne saurez pas, du moins je le souhaite,

870 En quel trouble mortel son intérêt nous jette,

Lorsque de tant de biens qui pouvaient nous flatter[3],

C'est le seul qui nous reste, et qu'on veut nous l'ôter.

Hélas ! lorsque, lassés de dix ans de misère,

Les Troyens en courroux menaçaient votre mère,

875 J'ai su de mon Hector lui procurer l'appui[4].

Vous pouvez sur Pyrrhus ce que j'ai pu sur lui.

Que craint-on d'un enfant qui survit à sa perte[5] ?

Laissez-moi le cacher en quelque île déserte.

Sur les soins de sa mère on peut s'en assurer[6],

880 Et mon fils avec moi n'apprendra qu'à pleurer.

---

1. **Pleurante :** pleurant.
2. **Le seul :** le seul cœur (c'est-à-dire son cœur de mère).
3. **Nous flatter :** nous réjouir.
4. **J'ai su de mon Hector lui procurer l'appui :** Andromaque a influencé Hector pour que les Troyens ne renvoient pas Hélène auprès de son mari.
5. **À sa perte :** à la mort d'Hector.
6. **On peut s'en assurer :** on peut être sûr qu'il ne quittera jamais cette île déserte.

HERMIONE

Je conçois vos douleurs. Mais un devoir austère,
Quand mon père a parlé, m'ordonne de me taire. silence
C'est lui qui de Pyrrhus fait agir le courroux.
S'il faut fléchir Pyrrhus, qui le peut mieux que vous ?
885 Vos yeux assez longtemps ont régné sur son âme ;
Faites-le prononcer[1] : j'y souscrirai, Madame.

Scène 5 ANDROMAQUE, CÉPHISE

ANDROMAQUE

Quel mépris la cruelle attache à ses refus !

CÉPHISE

Je croirais ses conseils, et je verrais Pyrrhus.
Un regard confondrait Hermione et la Grèce...
890 Mais lui-même il vous cherche.

Scène 6 PYRRHUS, ANDROMAQUE, PHŒNIX, CÉPHISE

PYRRHUS, *à Phœnix.*
                              Où donc est la princesse ?
Ne m'avais-tu pas dit qu'elle était en ces lieux ?

---

1. **Prononcer :** se décider.

PHŒNIX

Je le croyais.

ANDROMAQUE, *à Céphise.*
Tu vois le pouvoir de mes yeux.

PYRRHUS

Que dit-elle, Phœnix ?

ANDROMAQUE
Hélas ! Tout m'abandonne.

PHŒNIX

Allons, Seigneur, marchons sur les pas d'Hermione.

CÉPHISE

895 Qu'attendez-vous ? rompez ce silence obstiné.

ANDROMAQUE

Il a promis mon fils.

CÉPHISE
Il ne l'a pas donné.

ANDROMAQUE

Non, non, j'ai beau pleurer, sa mort est résolue.

PYRRHUS

Daigne-t-elle sur nous tourner au moins la vue ?
Quel orgueil !

ANDROMAQUE
Je ne fais que l'irriter encor.

900 Sortons.

PYRRHUS
Allons aux Grecs livrer le fils d'Hector.

ANDROMAQUE, *se jetant aux pieds de Pyrrhus.*

Ah ! Seigneur, arrêtez ! Que prétendez-vous faire ?
Si vous livrez le fils, livrez-leur donc la mère.
Vos serments m'ont tantôt juré tant d'amitié[1] !
Dieux ! Ne pourrai-je au moins toucher votre pitié ?

905 Sans espoir de pardon m'avez-vous condamnée ?

---

1. **Amitié :** ici, amour.

PYRRHUS

Phœnix vous le dira, ma parole est donnée.

ANDROMAQUE

Vous qui braviez pour moi tant de périls divers !

PYRRHUS

J'étais <u>aveugle</u> alors ; mes yeux se sont ouverts.

Sa grâce à vos désirs pouvait être accordée ;

910 Mais vous ne l'avez pas seulement demandée.

C'en est fait.

ANDROMAQUE

Ah ! Seigneur, vous entendiez assez

Des soupirs qui craignaient de se voir repoussés.

Pardonnez à l'éclat d'une illustre fortune[1]

Ce reste de fierté qui craint d'être importune.

915 Vous ne l'ignorez pas : Andromaque, sans vous,

N'aurait jamais d'un maître embrassé les genoux.

PYRRHUS

Non, vous me haïssez ; et dans le fond de l'âme

Vous craignez de devoir quelque chose à ma flamme.

Ce fils même, ce fils, l'objet de tant de soins,

920 Si je l'avais sauvé, vous l'en aimeriez moins.

La haine, le mépris, contre moi tout s'assemble ;

Vous me haïssez plus que tous les Grecs ensemble.

Jouissez à loisir d'un si noble courroux.

Allons, Phœnix.

ANDROMAQUE

Allons rejoindre mon époux.

CÉPHISE

925 Madame...

ANDROMAQUE, *à Céphise.*

Et que veux-tu que je lui dise encore ?

Auteur de tous mes maux, crois-tu qu'il les ignore ?

(À Pyrrhus.)

Seigneur, voyez l'état où vous me réduisez.

---

1. **Illustre fortune :** rang royal qui était celui d'Andromaque à Troie.

J'ai vu mon père mort et nos murs embrasés ;
J'ai vu trancher les jours de ma famille entière,
930 Et mon époux sanglant traîné sur la poussière,
Son fils, seul avec moi, réservé pour les fers.
Mais que ne peut un fils ? Je respire, je sers[1].
J'ai fait plus : je me suis quelquefois consolée
Qu'ici, plutôt qu'ailleurs, le sort m'eût exilée ;
935 Qu'heureux dans son malheur, le fils de tant de rois,
Puisqu'il devait servir, fût tombé sous vos lois.
J'ai cru que sa prison deviendrait son asile.
Jadis Priam soumis fut respecté d'Achille[2] :
J'attendais de son fils encor plus de bonté.
940 Pardonne, cher Hector, à ma crédulité !
Je n'ai pu soupçonner ton ennemi d'un crime ;
Malgré lui-même enfin je l'ai cru magnanime[3].
Ah ! s'il l'était assez pour nous laisser du moins
Au tombeau[4] qu'à ta cendre ont élevé mes soins,
945 Et que, finissant là sa haine et nos misères,
Il ne séparât point des dépouilles si chères !

PYRRHUS

Va m'attendre, Phœnix.

Scène 7 PYRRHUS, ANDROMAQUE, CÉPHISE

PYRRHUS *continue.*
Madame, demeurez.
On peut vous rendre encor ce fils que vous pleurez.
Oui, je sens à regret qu'en excitant vos larmes

---

1. **Je sers :** je suis réduite à l'état d'esclave.
2. **Priam soumis fut respecté d'Achille :** Achille avait accordé à Priam la faveur de lui rendre le cadavre de son fils Hector.
3. **Magnanime :** généreux.
4. **Nous laisser [...] au tombeau :** nous laisser être ensevelis dans le tombeau.

950 Je ne fais contre moi que vous donner des armes.
Je croyais apporter plus de haine en ces lieux.
Mais, Madame, du moins tournez vers moi les yeux :
Voyez si mes regards sont d'un juge sévère,
S'ils sont d'un ennemi qui cherche à vous déplaire.
955 Pourquoi me forcez-vous vous-même à vous trahir ?
Au nom de votre fils, cessons de nous haïr.
À le sauver enfin c'est moi qui vous convie.
Faut-il que mes soupirs vous demandent sa vie ?
Faut-il qu'en sa faveur j'embrasse vos genoux ?
960 Pour la dernière fois, sauvez-le, sauvez-nous.
Je sais de quels serments je romps pour vous les chaînes,
Combien je vais sur moi faire éclater de haines.
Je renvoie Hermione, et je mets sur son front,
Au lieu de ma couronne, un éternel affront.
965 Je vous conduis au temple où son hymen s'apprête,
Je vous ceins du bandeau préparé pour sa tête.
Mais ce n'est plus, Madame, une offre à dédaigner :
Je vous le dis, il faut ou périr ou régner.
Mon cœur, désespéré d'un an d'ingratitude,
970 Ne peut plus de son sort souffrir l'incertitude.
C'est craindre, menacer, et gémir trop longtemps.
Je meurs si je vous perds ; mais je meurs si j'attends.
Songez-y : je vous laisse, et je viendrai vous prendre
Pour vous mener au temple où ce fils doit m'attendre,
975 Et là vous me verrez, soumis ou furieux,
Vous couronner, Madame, ou le perdre à vos yeux.

Scène 8 ANDROMAQUE, CÉPHISE

CÉPHISE

Je vous l'avais prédit, qu'en dépit de la Grèce,
De votre sort encor vous seriez la maîtresse.

ANDROMAQUE

Hélas ! De quel effet[1] tes discours sont suivis !
980 Il ne me restait plus qu'à condamner mon fils.

CÉPHISE

Madame, à votre époux c'est être assez fidèle :
Trop de vertu pourrait vous rendre criminelle.
Lui-même il porterait votre âme à la douceur.

ANDROMAQUE

Quoi ! Je lui donnerais Pyrrhus pour successeur ?

CÉPHISE

985 Ainsi le veut son fils, que les Grecs vous ravissent.
Pensez-vous qu'après tout ses mânes[2] en rougissent ?
Qu'il méprisât, Madame, un roi victorieux
Qui vous fait remonter au rang de vos aïeux,
Qui foule aux pieds pour vous vos vainqueurs en colère,
990 Qui ne se souvient plus qu'Achille était son père,
Qui dément ses exploits et les rends superflus ?

ANDROMAQUE

Dois-je les oublier, s'il ne s'en souvient plus ?
Dois-je oublier Hector privé de funérailles,
Et traîné sans honneur[3] autour de nos murailles ?
995 Dois-je oublier son père à mes pieds renversé,
Ensanglantant l'autel qu'il tenait embrassé[4] ?
Songe, songe, Céphise, à cette nuit cruelle
Qui fut pour tout un peuple une nuit éternelle.
Figure-toi Pyrrhus, les yeux étincelants,
1000 Entrant à la lueur de nos palais brûlants, *glimmer*
Sur tous mes frères morts se faisant un passage,
Et de sang tout couvert échauffant le carnage.
Songe aux cris des vainqueurs, songe aux cris des mourants,

---

1. **Effet :** résultat.
2. **Mânes :** âme d'un mort, dans la religion grecque.
3. **Traîné sans honneur :** après avoir tué Hector, Achille avait attaché son cadavre à son char et l'avait traîné autour des murs de Troie.
4. **L'autel qu'il tenait embrassé :** Pyrrhus avait tué le roi Priam, alors que celui-ci implorait le secours des dieux.

Dans la flamme étouffés, sous le fer expirants.
1005 Peins-toi dans ces horreurs Andromaque éperdue :
Voilà comme Pyrrhus vint s'offrir à ma vue ;
Voilà par quels exploits il sut se couronner ;
Enfin voilà l'époux que tu me veux donner.
Non, je ne serai point complice de ses crimes ;
1010 Qu'il nous prenne, s'il veut, pour dernières victimes.
Tous mes ressentiments lui seraient asservis[1].

CÉPHISE

Hé bien ! Allons donc voir expirer votre fils :
On n'attend plus que vous... Vous frémissez, Madame ?

ANDROMAQUE

Ah ! De quel souvenir viens-tu frapper mon âme !
1015 Quoi ! Céphise, j'irai voir expirer encor
Ce fils, ma seule joie et l'image d'Hector ?
Ce fils, que de sa flamme il me laissa pour gage[2] ?
Hélas ! je m'en souviens, le jour que son courage
Lui fit chercher Achille, ou plutôt le trépas,
1020 Il demanda son fils et le prit dans ses bras :
« Chère épouse, dit-il en essuyant mes larmes,
J'ignore quel succès le sort garde à mes armes ;
Je te laisse mon fils pour gage de ma foi :
S'il me perd, je prétends qu'il me retrouve en toi.
1025 Si d'un heureux hymen la mémoire t'est chère,
Montre au fils à quel point tu chérissais le père. »
Et je puis[3] voir répandre un sang si précieux ?
Et je laisse avec lui périr tous ses aïeux ?
Roi barbare, faut-il que mon crime l'entraîne ?
1030 Si je te hais, est-il coupable de ma haine ?
T'a-t-il de tous les siens reproché le trépas ?
S'est-il plaint à tes yeux des maux qu'il ne sent pas[4] ?

---

1. **Tous mes ressentiments lui seraient asservis :** si Andromaque l'épousait, elle serait obligée d'oublier toute sa rancune.
2. **Gage :** signe, témoignage.
3. **Et je puis :** et je pourrais.
4. **Qu'il ne sent pas :** qu'il est trop jeune pour comprendre.

Mais cependant, mon fils, tu meurs si je n'arrête
Le fer que le cruel tient levé sur ta tête.
1035 Je l'en puis détourner, et je t'y vais offrir ?
Non, tu ne mourras point : je ne le puis souffrir.
Allons trouver Pyrrhus. Mais non, chère Céphise,
Va le trouver pour moi.

CÉPHISE
                    Que faut-il que je dise ?

ANDROMAQUE
Dis-lui que de mon fils l'amour[1] est assez fort...
1040 Crois-tu que dans son cœur il ait juré sa mort ?
L'amour peut-il si loin pousser sa barbarie ?

CÉPHISE
Madame, il va bientôt revenir en furie.

ANDROMAQUE
Hé bien ! Va l'assurer...

CÉPHISE
                    De quoi ? de votre foi ?

ANDROMAQUE
Hélas ! Pour la promettre est-elle encore à moi ?
1045 Ô cendres d'un époux ! ô Troyens ! ô mon père !
Ô mon fils, que tes jours coûtent cher à ta mère !
Allons.

CÉPHISE
                    Où donc, Madame ? et que résolvez-vous ?

ANDROMAQUE
Allons sur son tombeau consulter mon époux.

---

1. **De mon fils l'amour :** l'amour pour mon fils.

83

Clefs d'analyse

Action et personnages

1. Dans la scène 4, par quels moyens le rapport de force entre les deux femmes est-il suggéré ? Qui semble en sortir victorieuse ?

2. Quels sont les différents arguments qu'essaye Andromaque afin d'obtenir la pitié de sa rivale ? Y réussit-elle ? Pourquoi ?

3. Dans la scène 6, les deux personnages principaux réussissent facilement à se parler ? Pourquoi ? Quel rôle jouent les deux suivants ? Pourquoi doivent-ils se retirer à la fin ?

4. Montrez que la scène 7 constitue pour Andromaque la dernière chance de sauver la vie de son fils.

5. Dans quel dilemme se trouve Andromaque dans la scène 8 ? Quelles sont les issues possibles ? Que décide-t-elle finalement, et pourquoi ?

Langue

6. Relevez et classez les procédés pathétiques présents dans la réplique d'Andromaque à Hermione.

7. Dans la scène 6, qu'indiquent les didascalies « *à Phoenix* », « *à Céphise* » ? Dans une pièce de théâtre, comment nomme-t-on ce genre de situation de communication ?

8. Notez les expressions par lesquelles Pyrrhus veut mettre un terme à son dialogue avec Andromaque. Y parvient-il finalement ? Qu'est-ce qui l'a fait changer d'avis ?

9. Dans la scène 7, quelle conjonction de coordination exprime le choix que Pyrrhus laisse à Andromaque ? Relevez ses occurrences.

10. À quel temps s'exprime Pyrrhus ? De quoi ce temps verbal est-il la preuve ?

11. Dans la scène 8, quelle est la nature du mot « qui » répété en tête des vers 988-991 ? Quel effet produit cette répétition ? Dans la même scène, trouvez d'autres exemples de cette figure de style qui s'appelle « anaphore ».

Genre ou thèmes

12. Étudiez tous les procédés par lesquels s'exprime la fidélité d'Andromaque envers son époux mort. Montrez qu'il n'est pas réellement mort pour elle.

13. Face à quels choix Andromaque se trouve-t-elle désormais confrontée ? Lequel est le plus raisonnable ? Lequel lui est dicté par sa conscience ?

14. Que symbolise le lieu où veut se rendre Andromaque à la fin de l'acte III ? Le corps d'Hector peut-il s'y trouver ? De quoi s'agit-il donc ?

Écriture

15. Andromaque se rend sur le tombeau d'Hector. Le fantôme de celui-ci apparaît pour la conseiller dans son choix. Écrivez le discours de ce spectre.

Pour aller plus loin

16. Renseignez-vous sur les rites funéraires dans la Grèce ancienne. Quels étaient les dangers de rester sans sépulture après la mort ?

> ## ✳ À retenir
>
> La tragédie est un univers où les vivants et les morts coexistent, tout comme les dieux et les hommes. La fidélité envers les défunts était un point essentiel de la religion des Grecs. Andromaque est viscéralement attachée à cette fidélité, comme Hermione est liée au pouvoir de son père. À l'époque, la femme est dépendante de son père, puis de son mari.

Clefs d'analyse

ACTE IV
Scène 1 ANDROMAQUE, CÉPHISE

CÉPHISE
Ah ! Je n'en doute point : c'est votre époux, Madame,
1050 C'est Hector qui produit ce miracle en votre âme.
Il veut que Troie encor se puisse relever
Avec cet heureux[1] fils qu'il vous fait conserver.
Pyrrhus vous l'a promis. Vous venez de l'entendre
Madame : il n'attendait qu'un mot pour vous le rendre.
1055 Croyez-en ses transports : père, sceptre, alliés,
Content[2] de votre cœur, il met tout à vos pieds.
Sur lui, sur tout son peuple il vous rend souveraine.
Est-ce là ce vainqueur digne de tant de haine ?
Déjà contre les Grecs plein d'un noble courroux,
1060 Le soin de votre fils le touche autant que vous :
Il prévient leur fureur[3], il lui laisse sa garde ;
Pour ne pas l'exposer, lui-même se hasarde[4].
Mais tout s'apprête au temple, et vous avez promis.

ANDROMAQUE
Oui, je m'y trouverai. Mais allons voir mon fils.

CÉPHISE
1065 Madame, qui[5] vous presse ? Il suffit que sa vue
Désormais à vos yeux ne soit plus défendue.
Vous lui pourrez bientôt prodiguer vos bontés,
Et vos embrassements ne seront plus comptés.

---

1. **Heureux :** chanceux.
2. **Content :** contenté.
3. **Il prévient leur fureur :** il devance leur colère.
4. **Se hasarde :** prend des risques.
5. **Qui :** qu'est-ce qui.

Quel plaisir d'élever un enfant qu'on voit craître[1],
1070 Non plus comme un esclave élevé pour son maître,
Mais pour voir avec lui renaître tant de rois !

ANDROMAQUE

Céphise, allons le voir pour la dernière fois.

CÉPHISE

Que dites-vous ? ô dieux !

ANDROMAQUE

Ô ma chère Céphise,
Ce n'est point avec toi que mon cœur se déguise.
1075 Ta foi[2], dans mon malheur, s'est montrée à mes yeux ;
Mais j'ai cru qu'à mon tour tu me connaissais mieux.
Quoi donc ? as-tu pensé qu'Andromaque infidèle
Pût trahir un époux qui croit revivre en elle,
Et que de tant de morts réveillant la douleur
1080 Le soin de mon repos me fît troubler le leur ?
Est-ce là cette ardeur tant promise à sa cendre ?
Mais son fils périssait : il l'a fallu défendre.
Pyrrhus en m'épousant s'en déclare l'appui ;
Il suffit : je veux bien m'en reposer sur lui.
1085 Je sais quel est Pyrrhus. Violent, mais sincère,
Céphise, il fera plus qu'il n'a promis de faire.
Sur le courroux des Grecs je m'en repose encor :
Leur haine va donner un père au fils d'Hector.
Je vais donc, puisqu'il faut que je me sacrifie,
1090 Assurer à[3] Pyrrhus le reste de ma vie ;
Je vais, en recevant sa foi sur les autels,
L'engager à mon fils par des nœuds immortels.
Mais aussitôt ma main, à moi seule funeste,
D'une infidèle[4] vie abrégera le reste,
1095 Et, sauvant ma vertu, rendra ce que je dois
À Pyrrhus, à mon fils, à mon époux, à moi.

---

1. **Craître :** croître.
2. **Ta foi :** ta fidélité.
3. **Assurer à :** m'engager envers.
4. **Infidèle :** qui a trahi (ses devoirs de veuve).

87

Voilà de mon amour l'innocent stratagème ;
Voilà ce qu'un époux m'a commandé lui-même.
J'irai seule rejoindre Hector et mes aïeux.
1100 Céphise, c'est à toi de me fermer les yeux.

CÉPHISE

Ah ! Ne prétendez pas que je puisse survivre...

ANDROMAQUE

Non, non, je te défends, Céphise, de me suivre.
Je confie à tes soins mon unique trésor :
Si tu vivais pour moi, vis pour le fils d'Hector.
1105 De l'espoir des Troyens seule dépositaire[1],
Songe à combien de rois tu deviens nécessaire.
Veille auprès de Pyrrhus ; fais-lui garder sa foi :
S'il le faut, je consens qu'on lui parle de moi.
Fais-lui valoir l'hymen où je me suis rangée[2] ;
1110 Dis-lui qu'avant ma mort je lui fus engagée,
Que ses ressentiments doivent être effacés,
Qu'en lui laissant mon fils, c'est l'estimer assez.
Fais connaître à mon fils les héros de sa race ;
Autant que tu pourras, conduis-le sur leur trace.
1115 Dis-lui par quels exploits leurs noms ont éclaté[3],
Plutôt ce qu'ils ont fait que ce qu'ils ont été ;
Parle-lui tous les jours des vertus de son père,
Et quelquefois aussi parle-lui de sa mère.
Mais qu'il ne songe plus, Céphise, à nous venger :
1120 Nous lui laissons un maître, il le doit ménager[4].
Qu'il ait de ses aïeux un souvenir modeste :
Il est du sang d'Hector, mais il en est le reste ;
Et pour ce reste enfin j'ai moi-même, en un jour,
Sacrifié mon sang, ma haine et mon amour.

CÉPHISE

1125 Hélas !

---

1. **Dépositaire :** qui a reçu quelque chose en dépôt.
2. **Rangée :** soumise.
3. **Ont éclaté :** ont reçu de l'éclat, de la gloire.
4. **Ménager :** respecter.

ANDROMAQUE

Ne me suis point, si ton cœur en alarmes
Prévoit qu'il ne pourra commander à tes larmes.
On vient. Cache tes pleurs, Céphise, et souviens-toi
Que le sort d'Andromaque est commis[1] à ta foi.
C'est Hermione. Allons, fuyons sa violence.

Scène 2 HERMIONE, CLÉONE

CLÉONE

1130　Non, je ne puis assez admirer[2] ce silence.
Vous vous taisez, Madame, et ce cruel mépris
N'a pas du moindre trouble agité vos esprits !
Vous soutenez en paix[3] une si rude attaque,
Vous qu'on voyait frémir au seul nom d'Andromaque ?
1135　Vous qui sans désespoir ne pouviez endurer
Que Pyrrhus d'un regard la voulût honorer ?
Il l'épouse ; il lui donne, avec son diadème,
La foi que vous venez de recevoir vous-même,
Et votre bouche encor, muette à tant d'ennui,
1140　N'a pas daigné s'ouvrir pour se plaindre de lui ?
Ah ! que je crains, Madame, un calme si funeste !
Et qu'il vaudrait bien mieux...

HERMIONE

Fais-tu venir Oreste ?

---

1. **Commis :** confié.
2. **Admirer :** m'étonner de.
3. **En paix :** avec calme.

CLÉONE

Il vient, Madame, il vient ; et vous pouvez juger
Que bientôt à vos pieds il allait se ranger[1].
1145 Prêt à servir toujours sans espoir de salaire,
Vos yeux ne sont que trop assurés de lui plaire.
Mais il entre.

Scène 3 ORESTE, HERMIONE, CLÉONE

ORESTE

Ah ! Madame, est-il vrai qu'une fois[2]
Oreste en vous cherchant obéisse à vos lois ?
Ne m'a-t-on point flatté d'une fausse espérance ?
1150 Avez-vous en effet[3] souhaité ma présence ?
Croirai-je que vos yeux, à la fin désarmés,
Veulent...

HERMIONE

Je veux savoir, Seigneur, si vous m'aimez.

ORESTE

Si je vous aime ? Ô dieux ! Mes serments, mes parjures,
Ma fuite, mon retour, mes respects, mes injures,
1155 Mon désespoir, mes yeux de pleurs toujours noyés,
Quels témoins croirez-vous, si vous ne les croyez ?

HERMIONE

Vengez-moi, je crois tout.

ORESTE

Hé bien ! Allons, Madame :
Mettons encore un coup[4] toute la Grèce en flamme ;

---

1. **Se ranger :** se soumettre.
2. **Une fois :** pour une fois.
3. **En effet :** vraiment.
4. **Encore un coup :** encore une fois.

Prenons, en signalant[1] mon bras et votre nom,
1160 Vous, la place d'Hélène, et moi, d'Agamemnon.
De Troie en ce pays réveillons les misères,
Et qu'on parle de nous ainsi que de nos pères[2].
Partons, je suis tout prêt.

HERMIONE

Non, Seigneur, demeurons :
Je ne veux pas si loin porter de tels affronts.
1165 Quoi ! de mes ennemis couronnant l'insolence,
J'irais attendre ailleurs une lente vengeance,
Et je m'en remettrais au destin[3] des combats,
Qui peut-être à la fin ne me vengerait pas ?
Je veux qu'à mon départ toute l'Épire pleure.
1170 Mais, si vous me vengez, vengez-moi dans une heure.
Tous vos retardements sont pour moi des refus.
Courez au temple. Il faut immoler...

ORESTE

Qui ?

HERMIONE

Pyrrhus.

ORESTE

Pyrrhus, Madame ?

HERMIONE

Hé quoi ! Votre haine chancelle[4] ?
Ah ! courez, et craignez que je ne vous rappelle.
1175 N'alléguez point des droits que je veux oublier ;
Et ce n'est pas à vous à le justifier.

ORESTE

Moi, je l'excuserais ? Ah ! vos bontés, Madame, *Kindness*
Ont gravé trop avant ses crimes dans mon âme.
Vengeons-nous, j'y consens, mais par d'autres chemins.

---

1. **En signalant :** en rendant célèbres.
2. **Nos pères :** nos ancêtres.
3. **Destin :** hasard.
4. **Chancelle :** s'affaiblit, hésite.

1180 Soyons ses ennemis, et non ses assassins.
Faisons de sa ruine une juste conquête[1].
Quoi ! pour réponse, aux Grecs porterai-je sa tête
Et n'ai-je pris sur moi le soin de tout l'État[2]
Que pour m'en acquitter par un assassinat ?
1185 Souffrez, au nom des Dieux, que la Grèce s'explique,
Et qu'il meure chargé de la haine publique.
Souvenez-vous qu'il règne, et qu'un front couronné...

HERMIONE

Ne vous suffit-il pas que je l'ai condamné ?
Ne vous suffit-il pas que ma gloire offensée
1190 Demande une victime à moi seule adressée[3] ;
Qu'Hermione est le prix d'un tyran opprimé[4] ;
Que je le hais ; enfin, Seigneur, que je l'aimai ?
Je ne m'en cache point : l'ingrat m'avait su plaire,
Soit qu'ainsi l'ordonnât mon amour ou mon père,
1195 N'importe ; mais enfin réglez-vous là-dessus[5].
Malgré mes vœux, Seigneur, honteusement déçus,
Malgré la juste horreur que son crime me donne,
Tant qu'il vivra, craignez que je ne lui pardonne.
Doutez jusqu'à sa mort d'un courroux incertain :
1200 S'il ne meurt aujourd'hui, je puis l'aimer demain.

ORESTE

Hé bien ! Il faut le perdre, et prévenir sa grâce[6] ;
Il faut... Mais cependant que faut-il que je fasse ?
Comment puis-je sitôt servir votre courroux ?
Quel chemin jusqu'à lui peut conduire mes coups ?
1205 À peine suis-je encore arrivé dans l'Épire,
Vous voulez par mes mains renverser un empire ;
Vous voulez qu'un roi meure, et pour son châtiment

---

1. **Une juste conquête :** une victoire assurée par des moyens nobles (la guerre).
2. **Tout l'État :** toute la Grèce.
3. **Adressée :** destinée.
4. **Le prix d'un tyran opprimé :** la récompense pour avoir renversé un tyran.
5. **Réglez-vous là-dessus :** conduisez-vous en fonction de cela.
6. **Prévenir sa grâce :** agir avant qu'Hermione ne change d'avis et décide d'épargner Pyrrhus.

Vous ne donnez qu'un jour, qu'une heure, qu'un moment !
Aux yeux de tout son peuple il faut que je l'opprime *l'oppress*
1210 Laissez-moi vers l'autel conduire ma victime,
Je ne m'en défends plus ; et je ne veux qu'aller
Reconnaître la place où je dois l'immoler.
Cette nuit je vous sers, cette nuit je l'attaque.

HERMIONE

Mais cependant, ce jour, il épouse Andromaque !
1215 Dans le temple déjà le trône est élevé ;
Ma honte est confirmée, et son crime achevé.
Enfin qu'attendez-vous ? Il vous offre sa tête :
Sans gardes, sans défense, il marche à cette fête ;
Autour du fils d'Hector il les fait tous ranger ;
1220 Il s'abandonne[1] au bras qui me voudra venger.
Voulez-vous malgré lui prendre soin de sa vie[2] ?
Armez, avec vos Grecs, tous ceux qui m'ont suivie ;
Soulevez vos amis : tous les miens sont à vous.
Il me trahit, vous trompe, et nous méprise tous.
1225 Mais quoi ? déjà leur haine est égale à la mienne :
Elle épargne à regret l'époux d'une Troyenne.
Parlez : mon ennemi ne vous peut échapper,
Ou plutôt il ne faut que[3] les laisser frapper.
Conduisez ou suivez une fureur si belle ;
1230 Revenez tout couvert du sang de l'infidèle ;
Allez : en cet état soyez sûr de mon cœur.

ORESTE

Mais, Madame, songez...

HERMIONE

Ah ! c'en est trop, Seigneur.
Tant de raisonnements[4] offensent ma colère.
J'ai voulu vous donner les moyens de me plaire,
1235 Rendre Oreste content ; mais enfin je vois bien

---

1. **Il s'abandonne :** il est vulnérable.
2. **Prendre soin de sa vie :** vous soucier de sa vie.
3. **Il ne faut que :** il n'y a plus qu'à.
4. **Raisonnements :** objections.

Qu'il veut toujours se plaindre et ne mériter rien.
Partez : allez ailleurs vanter votre constance,
Et me laissez ici le soin de ma vengeance.
De mes lâches bontés mon courage est confus,
1240 Et c'est trop en un jour essuyer de refus.
Je m'en vais seule au temple, où leur hymen s'apprête,
Où vous n'osez aller mériter ma conquête.
Là, de mon ennemi je saurai m'approcher :
Je percerai le cœur que je n'ai pu toucher,
1245 Et mes sanglantes mains, sur moi-même tournées[1],
Aussitôt, malgré lui, joindront nos destinées ;
Et, tout ingrat qu'il est, il me sera plus doux
De mourir avec lui que de vivre avec vous.

ORESTE

Non, je vous priverai de ce plaisir funeste,
1250 Madame : il ne mourra que de la main d'Oreste.
Vos ennemis par moi vont vous être immolés,
Et vous reconnaîtrez mes soins[2], si vous voulez.

HERMIONE

Allez. De votre sort laissez-moi la conduite,
Et que tous vos vaisseaux soient prêts pour notre fuite.

---

1. **Sur moi-même tournées :** contre moi-même retournées.
2. **Vous reconnaîtrez mes soins :** vous me remercierez pour mes services.

Clefs d'analyse

Action et personnages

1. Quel changement s'est produit dans l'esprit d'Andromaque ? En quoi a-t-il quelque chose de « surnaturel » ?

2. Quelle preuve Pyrrhus a-t-il donnée de son affection sincère pour Astyanax ? En quoi ce détail pourrait-il être déterminant dans la suite de la pièce ?

3. Qu'a décidé de faire Andromaque pour se sortir du dilemme où elle se trouve ?

4. Dans la scène 2, comment transparaît l'abattement d'Hermione ?

5. Dans la scène 3, montrez que c'est Hermione qui domine Oreste. À quels procédés le voyez-vous ?

6. Quels sont les deux moyens dont disposent Oreste et Hermione pour éliminer Pyrrhus ? Lequel a la préférence du prince, et pourquoi ? Lequel a la préférence de la princesse, et pourquoi ?

Langue

7. Que pensez-vous de l'énumération au vers 1096 ? Quelle est la seule valeur qui dirige la vie d'Andromaque ?

8. Par quel type de phrases Andromaque fait-elle ses recommandations à Céphise aux vers 1106-1124 ? Classez ces phrases en fonction du mode auquel sont conjugués les verbes.

9. Que souligne l'anaphore du pronom « vous » dans la scène 2 ?

10. Observez le vers 1152. Quelle répétition y remarquez-vous ? Que nous dit-elle sur la psychologie d'Hermione ?

11. Par quelle figure de style Oreste jure-t-il son amour pour Hermione aux vers 1153-1155 ?

12. Que signifie exactement le verbe « immoler » employé par Hermione au vers 1172 ? Qu'immole-t-on en principe ? À qui ? Où ? À quel genre de rites peut donc vous faire penser une tragédie, mais avec quelle différence ?

Genre ou thèmes

13. Si Andromaque épouse Pyrrhus, quel avenir peut-elle espérer pour elle-même et pour son fils ? En quoi un tel avenir serait-il un complet renversement de situation ?

14. Que peut nous laisser entrevoir le mutisme d'Hermione, dans la scène 2, sur les contradictions de son caractère ? Que menace-t-elle de faire, dans la scène 3, si elle ne peut être vengée par Oreste ?

15. Que projette de faire Oreste pour satisfaire les exigences d'Hermione ? À quel type de héros s'identifie-t-il ? Est-ce cela que lui demande la princesse ?

16. Quelle intention funeste tragique rapproche Hermione et Andromaque ? En quoi pouvez-vous dire que le destin des deux femmes est symétrique ?

17. Relevez des signes de l'urgence dans le discours d'Hermione à Oreste. Sous le coup de quelle émotion violente la princesse s'exprime-t-elle ? Qu'oublie-t-elle au passage ?

Écriture

18. Après son entrevue avec Hermione, Oreste retrouve Pylade et lui fait part des ordres de la princesse. Imaginez leur dialogue, en insistant sur les doutes d'Oreste, et les conseils de Pylade.

Pour aller plus loin

19. Cherchez quels étaient les différents régimes politiques existant à l'époque des Grecs. Auquel de ces systèmes Hermione peut-elle vous faire penser ?

✳ À retenir

On considère souvent que la tragédie grecque est issue d'anciens rites de sacrifice. Pour cette raison, la mort y joue un rôle essentiel, et cela provoque la terreur du public. On pensait que les dieux en colère réclamaient, pour être apaisés, le sang des victimes.

Scène 4 HERMIONE, CLÉONE

CLÉONE

1255 Vous vous perdez, Madame ; et vous devez songer...

HERMIONE

Que je me perde ou non, je songe à me venger.
Je ne sais même encor, quoi qu'il m'ait pu promettre,
Sur d'autres que sur moi si je dois m'en remettre.
Pyrrhus n'est pas coupable à ses yeux comme aux miens,
1260 Et je tiendrais[1] mes coups bien plus sûrs que les siens.
Quel plaisir de venger moi-même mon injure,
De retirer mon bras teint du sang du parjure,
Et, pour rendre sa peine et mes plaisirs plus grands,
De cacher ma rivale à ses regards mourants !
1265 Ah ! Si du moins Oreste, en punissant son crime,
Lui laissait le regret de mourir ma victime !
Va le trouver : dis-lui qu'il apprenne à l'ingrat
Qu'on l'immole à ma haine, et non pas à l'État.
Chère Cléone, cours. Ma vengeance est perdue
1270 S'il ignore en mourant que c'est moi qui le tue.

CLÉONE

Je vous obéirai. Mais qu'est-ce que je vois ?
Ô dieux ! qui l'aurait cru, Madame ? C'est le Roi !

HERMIONE

Ah ! Cours après Oreste ; et dis-lui, ma Cléone,
Qu'il n'entreprenne rien sans revoir Hermione.

---

1. **Je tiendrais :** je considérerais.

Scène 5 PYRRHUS, HERMIONE, PHŒNIX

PYRRHUS

1275 Vous ne m'attendiez pas, Madame ; et je vois bien
Que mon abord[1] ici trouble votre entretien.
Je ne viens point, armé d'un indigne artifice,
D'un voile d'équité couvrir mon injustice ;
Il suffit que mon cœur me condamne tout bas ;
1280 Et je soutiendrais mal ce que je ne crois pas.
J'épouse une Troyenne. Oui, Madame, et j'avoue
Que je vous ai promis la foi que je lui voue.
Un autre vous dirait que dans les champs troyens
Nos deux pères sans nous formèrent ces liens,
1285 Et que, sans consulter ni mon choix ni le vôtre,
Nous fûmes sans amour engagés l'un à l'autre ;
Mais c'est assez pour moi que je me sois soumis.
Par mes ambassadeurs mon cœur vous fut promis ;
Loin de les révoquer, je voulus y souscrire[2].
1290 Je vous vis avec eux arriver en Épire ;
Et quoique d'un autre œil l'éclat victorieux
Eût déjà prévenu le pouvoir de vos yeux,
Je ne m'arrêtai point à cette ardeur[3] nouvelle :
Je voulus m'obstiner à vous être fidèle,
1295 Je vous reçus en reine ; et jusques à ce jour
J'ai cru que mes serments me tiendraient lieu d'amour.
Mais cet amour l'emporte ; et, par un coup funeste,
Andromaque m'arrache un cœur qu'elle déteste.
L'un par l'autre entraînés, nous courons à l'autel
1300 Nous jurer, malgré nous, un amour immortel.
Après cela, Madame, éclatez[4] contre un traître,
Qui l'est avec douleur, et qui pourtant veut l'être.

---

1. **Mon abord :** ma venue.
2. **Y souscrire :** me tenir à ma parole (de vous épouser).
3. **Ardeur :** passion.
4. **Éclatez :** laissez éclater votre colère.

Pour moi, loin de contraindre[1] un si juste courroux,
Il me soulagera peut-être autant que vous.
1305 Donnez-moi tous les noms destinés aux parjures :
Je crains votre silence, et non pas vos injures ;
Et mon cœur, soulevant mille secrets témoins,
M'en dira d'autant plus que vous m'en direz moins.

HERMIONE

Seigneur, dans cet aveu dépouillé d'artifice,
1310 J'aime à voir que du moins vous vous rendiez justice,
Et que, voulant bien[2] rompre un nœud si solennel,
Vous vous abandonniez au crime en criminel.
Est-il juste, après tout, qu'un conquérant s'abaisse
Sous la servile loi de garder sa promesse ?
1315 Non, non, la perfidie a de quoi vous tenter,
Et vous ne me cherchez que pour vous en vanter.
Quoi ! sans que ni serment ni devoir vous retienne,
Rechercher une Grecque, amant d'une Troyenne ?
Me quitter, me reprendre, et retourner encor
1320 De la fille d'Hélène à la veuve d'Hector ?
Couronner tout à tour l'esclave et la princesse,
Immoler Troie aux Grecs, au fils d'Hector la Grèce ?
Tout cela part d'un cœur toujours maître de soi,
D'un héros qui n'est point esclave de sa foi.
1325 Pour plaire à votre épouse, il vous faudrait peut-être
Prodiguer[3] les doux noms de parjure et de traître.
Vous veniez de mon front observer la pâleur,
Pour aller dans ses bras rire de ma douleur.
Pleurante après son char vous voulez qu'on me voie ;
1330 Mais, Seigneur, en un jour ce serait trop de joie ;
Et sans chercher ailleurs des titres empruntés[4],
Ne vous suffit-il pas de ceux que vous portez ?
Du vieux père d'Hector la valeur abattue[5]

---

1. **Contraindre :** limiter, restreindre.
2. **Voulant bien :** étant bien décidé à.
3. **Il vous faudrait peut-être prodiguer :** il faudrait peut-être vous donner.
4. **Des titres empruntés :** de fausses raisons de plaire à Andromaque.
5. **La valeur abattue :** le courage vaincu.

Aux pieds de sa famille expirante à sa vue,
1335 Tandis que dans son sein votre bras enfoncé
Cherche un reste de sang que l'âge avait glacé ;
Dans des ruisseaux de sang Troie ardente plongée ;
De votre propre main Polyxène égorgée
Aux yeux de tous les Grecs indignés contre vous :
1340 Que peut-on refuser à ces généreux coups ?

PYRRHUS

Madame, je sais trop à quel excès de rage
La vengeance d'Hélène emporta mon courage.
Je puis me plaindre à vous[1] du sang que j'ai versé ;
Mais enfin je consens d'oublier le passé.
1345 Je rends grâces au Ciel que votre indifférence
De mes heureux soupirs m'apprenne l'innocence.
Mon cœur, je le vois bien, trop prompt à se gêner[2],
Devait mieux vous connaître et mieux s'examiner.
Mes remords vous faisaient une injure[3] mortelle ;
1350 Il faut se croire aimé pour se croire infidèle.
Vous ne prétendiez point m'arrêter dans vos fers :
Je crains de vous trahir, peut-être je vous sers[4].
Nos cœurs n'étaient point faits dépendants l'un de l'autre ;
Je suivais mon devoir, et vous cédiez au vôtre.
1355 Rien ne vous engageait à m'aimer en effet.

HERMIONE

Je ne t'ai point aimé, cruel ? Qu'ai-je donc fait ?
J'ai dédaigné pour toi les vœux de tous nos princes ;
Je t'ai cherché moi-même au fond de tes provinces ;
J'y suis encor, malgré tes infidélités,
1360 Et malgré tous mes Grecs honteux de mes bontés.
Je leur ai commandé de cacher mon injure[5] ;
J'attendais en secret le retour d'un parjure ;

---

1. **Me plaindre à vous :** vous accuser.
2. **Se gêner :** avoir des scrupules.
3. **Injure :** tort.
4. **Je vous sers :** je vous rends service.
5. **Mon injure :** l'injustice que je subis.

J'ai cru que tôt ou tard, à ton devoir rendu,
Tu me rapporterais un cœur qui m'était dû.
1365 Je t'aimais inconstant ; qu'aurais-je fait fidèle ?[1]
Et même en ce moment où ta bouche cruelle
Vient si tranquillement m'annoncer le trépas,
Ingrat, je doute encor si je ne t'aime pas.
Mais, Seigneur, s'il le faut, si le Ciel en colère
1370 Réserve à d'autres yeux la gloire de vous plaire,
Achevez votre hymen, j'y consens. Mais du moins
Ne forcez pas mes yeux d'en être les témoins.
Pour la dernière fois je vous parle peut-être :
Différez-le d'un jour ; demain vous serez maître.
1375 Vous ne répondez point ? Perfide, je le vois,
Tu comptes les moments que tu perds avec moi !
Ton cœur, impatient de revoir ta Troyenne,
Ne souffre qu'à regret qu'un autre t'entretienne.
Tu lui parles du cœur, tu la cherches des yeux.
1380 Je ne te retiens plus, sauve-toi de ces lieux :
Va lui jurer la foi que tu m'avais jurée,
Va profaner des dieux la majesté sacrée.
Ces dieux, ces justes dieux n'auront pas oublié
Que les mêmes serments avec moi t'ont lié.
1385 Porte aux pieds des autels ce cœur qui m'abandonne ;
Va, cours. Mais crains encor d'y trouver Hermione.

---

1. **Qu'aurais-je fait fidèle ? :** combien t'aurais-je aimé si tu avais été fidèle ?

Andromaque, acte IV, scène 5.
Gravure d'après un dessin de Girodet-
Trioson (1767-1824).

Scène 6 Pyrrhus, Phœnix

Phœnix
Seigneur, vous entendez. Gardez de négliger
Une amante en fureur qui cherche à se venger.
Elle n'est en ces lieux que trop bien appuyée :
1390 La querelle[1] des Grecs à la sienne est liée ;
Oreste l'aime encore ; et peut-être à ce prix...

Pyrrhus
Andromaque m'attend. Phœnix, garde son fils.

---

1. **Querelle :** cause, parti.

Action et personnages

1. Hermione fait-elle entièrement confiance à Oreste pour assurer sa vengeance ? Quel sentiment profond semble-t-elle avoir pour son cousin ?

2. Quels sont les deux ordres contradictoires qu'Hermione donne à Cléone ? Quel état psychologique de la princesse cela révèle-t-il ?

3. Dans la scène 5, quel est le but de la première réplique de Pyrrhus ? D'après ce que lui répond Hermione, ce but est-il atteint ?

4. Que reproche Hermione à Pyrrhus ? Que ne peut-elle lui reprocher, au fond ?

5. À quelle pratique des armées antiques Hermione fait-elle allusion au vers 1329 ? En quels termes la princesse envisage-t-elle les relations amoureuses ?

6. Que contient le dernier vers qu'Hermione dit à l'adresse de Pyrrhus ?

Langue

7. Quel jeu de sonorités remarquez-vous dans le vers 1263 ? Quels sont les deux termes qui s'opposent dans ce vers ? À quel genre de pulsions Hermione semble-t-elle ici céder ?

8. Quel est le dernier mot de la scène 4 ? Qu'en pensez-vous ?

9. Quel est le temps dominant aux vers 1286-1295 ? En employant ce temps verbal, qu'est-ce que Pyrrhus cherche à faire comprendre à Hermione ?

10. Quel est le ton d'Hermione aux vers 1323-1324 ? Comment l'expliquer ?

11. Que veut dire l'adjectif « généreux » dans la langue du XVIIe siècle (voir vers 1340) ? Faut-il le prendre à la lettre ici, vu les « exploits » que rappelle Hermione ?

12. Pourquoi Hermione passe-t-elle du vouvoiement au tutoiement dans la dernière réplique de la scène 5 ?

Genre ou thèmes

13. Que nous indique le contraste entre le ton d'Hermione dans la scène 4 et celui qu'elle prend au début de la scène 5 ? Finalement, quel sentiment pour Pyrrhus va l'emporter dans son cœur ?

14. Quelle erreur d'interprétation Pyrrhus commet-il au vers 1345 ? En quoi cette erreur risque-t-elle de lui être fatale ?

15. De quel crime la princesse accuse-t-elle le roi au vers 1382 ? A-t-elle raison de lancer une telle accusation ? À quoi peuvent s'attendre les spectateurs après cela ?

16. Quelle est la double menace qui plane au-dessus de Pyrrhus à la fin de l'acte IV ? Est-il vraisemblable qu'il en réchappera ?

Écriture

17. Aphrodite, déesse grecque de l'amour, et Héra, protectrice du mariage, débattent pour savoir s'il faut excuser ou condamner le choix de Pyrrhus. Rédigez leur dialogue en donnant à Aphrodite le rôle de la défense, et à Héra celui de l'accusation.

Pour aller plus loin

18. Cherchez le sens précis des verbes « jurer » et « parjurer », en expliquant comment on passe de l'un à l'autre. Devant qui les Anciens juraient-ils ? Le revirement de Pyrrhus est-il une faute grave, dans ce contexte ? Que risque-t-il désormais ?

✳ À retenir

La fin de l'acte IV correspond au moment d'une tragédie où l'action est définitivement arrêtée : c'est ce qu'on appelle le nœud de l'intrigue. Désormais, Pyrrhus n'hésite plus entre deux mariages : il a choisi sa passion (Andromaque) contre son devoir (Hermione). Dans l'acte V, il payera les conséquences de son choix.

Clefs d'analyse

ACTE V

Scène 1 HERMIONE, *seule.*

HERMIONE

Où suis-je ? Qu'ai-je fait ? Que dois-je faire encore ?
Quel transport me saisit ? Quel chagrin me dévore ?
1395 Errante et sans dessein je cours dans ce palais.
Ah ! ne puis-je savoir si j'aime ou si je hais ?
Le cruel ! de quel œil il m'a congédiée !
Sans pitié, sans douleur au moins étudiée[1] !
L'ai-je vu se troubler et me plaindre un moment ?
1400 En ai-je pu tirer un seul gémissement ?
Muet à mes soupirs, tranquille à mes alarmes,
Semblait-il seulement qu'il eût part à mes larmes ?
Et je le plains encore ! Et, pour comble d'ennui,
Mon cœur, mon lâche cœur s'intéresse pour lui[2] !
1405 Je tremble au seul penser[3] du coup qui le menace,
Et, prête à me venger[4], je lui fais déjà grâce.
Non, ne révoquons point l'arrêt de mon courroux :
Qu'il périsse ! Aussi bien[5] il ne vit plus pour nous.
Le perfide triomphe et se rit de ma rage ;
1410 Il pense voir en pleurs dissiper[6] cet orage ;
Il croit que, toujours faible et d'un cœur incertain,
Je parerai d'un bras les coups de l'autre main.
Il juge encor de moi par mes bontés passées.
Mais plutôt le perfide a bien d'autres pensées.
1415 Triomphant dans le temple, il ne s'informe pas
Si l'on souhaite ailleurs sa vie ou son trépas.

---

1. **Étudiée :** feinte, simulée.
2. **S'intéresse pour lui :** prend son parti, lui trouve des excuses.
3. **Au seul penser :** à la seule pensée.
4. **Prête à me venger :** sur le point de me venger.
5. **Aussi bien :** de toute façon, d'ailleurs.
6. **Dissiper :** se dissiper.

Il me laisse, l'ingrat ! cet embarras funeste.
Non, non, encore un coup, laissons agir Oreste.
Qu'il meure, puisque enfin il a dû le prévoir,
1420 Et puisqu'il m'a forcée enfin à le vouloir...
À le vouloir ? Hé quoi ! c'est donc moi qui l'ordonne ?
Sa mort sera l'effet de l'amour d'Hermione ?
Ce prince, dont mon cœur se faisait autrefois
Avec tant de plaisir redire les exploits,
1425 À qui même en secret je m'étais destinée
Avant qu'on eût conclu ce fatal hyménée[1],
Je n'ai donc traversé tant de mers, tant d'États,
Que pour venir si loin préparer son trépas,
L'assassiner, le perdre ? Ah ! devant qu'il[2] expire...

Scène 2 Hermione, Cléone

Hermione

1430 Ah ! qu'ai-je fait, Cléone ? et que viens-tu me dire ?
Que fait Pyrrhus ?

Cléone

Il est au comble de ses vœux,
Le plus fier des mortels et le plus amoureux.
Je l'ai vu vers le temple, où son hymen s'apprête,
Mener en conquérant sa nouvelle conquête,
1435 Et, d'un œil où brillaient sa joie et son espoir,
S'enivrer en marchant du plaisir de la voir.
Andromaque, au travers de mille cris de joie,
Porte jusqu'aux autels le souvenir de Troie :
Incapable toujours d'aimer et de haïr,
1440 Sans joie et sans murmure elle semble obéir.

---

1. **Hyménée :** mariage.
2. **Devant qu'il :** avant qu'il.

HERMIONE

Et l'ingrat ? jusqu'au bout il a poussé l'outrage ?
Mais as-tu bien, Cléone, observé son visage ?
Goûte-t-il des plaisirs tranquilles et parfaits ?
N'a-t-il point détourné ses yeux vers le palais ?
1445 Dis-moi, ne t'es-tu point présentée à sa vue ?
L'ingrat a-t-il rougi lorsqu'il t'a reconnue ?
Son trouble avouait-il son infidélité
A-t-il jusqu'à la fin soutenu sa fierté[1] ?

CLÉONE

Madame, il ne voit rien : son salut[2] et sa gloire
1450 Semblent être avec vous sortis de sa mémoire.
Sans songer qui le suit, ennemis ou sujets,
Il poursuit seulement ses amoureux projets.
Autour du fils d'Hector il a rangé sa garde,
Et croit que c'est lui seul que le péril regarde[3].
1455 Phœnix même en répond[4], qui l'a conduit exprès
Dans un fort éloigné du temple et du palais.
Voilà, dans ses transports, le seul soin qui lui reste.

HERMIONE

Le perfide ! Il mourra. Mais que t'a dit Oreste ?

CLÉONE

Oreste avec ses Grecs dans le temple est entré.

HERMIONE

1460 Hé bien ! À me venger n'est-il pas préparé ?

CLÉONE

Je ne sais.

HERMIONE

Tu ne sais ? Quoi donc ? Oreste encore,
Oreste me trahit ?

CLÉONE

Oreste vous adore.

---

1. **Soutenu sa fierté :** gardé son attitude fière.
2. **Son salut :** sa sécurité.
3. **Que c'est lui seul que le péril regarde :** que seul Astyanax est en danger.
4. **En répond :** en a la charge.

Mais de mille remords son esprit combattu
Croit tantôt son amour et tantôt sa vertu.
1465 Il respecte en Pyrrhus l'honneur du diadème ;
Il respecte en Pyrrhus Achille et Pyrrhus même ;
Il craint la Grèce, il craint l'univers en courroux,
Mais il se craint, dit-il, soi-même[1] plus que tous.
Il voudrait en vainqueur vous apporter sa tête :
1470 Le seul nom d'assassin l'épouvante et l'arrête.
Enfin il est entré, sans savoir dans son cœur
S'il en devait sortir coupable ou spectateur.

HERMIONE

Non, non, il les[2] verra triompher sans obstacle ;
Il se gardera bien de troubler ce spectacle.
1475 Je sais de quels remords son courage est atteint :
Le lâche craint la mort, et c'est tout ce qu'il craint.
Quoi ! sans qu'elle employât une seule prière,
Ma mère en sa faveur arma la Grèce entière ?
Ses yeux, pour leur querelle, en dix ans de combats,
1480 Virent périr vingt rois qu'ils ne connaissaient pas ?
Et moi, je ne prétends[3] que la mort d'un parjure,
Et je charge un amant[4] du soin de mon injure ;
Il peut me conquérir à ce prix, sans danger ;
Je me livre moi-même, et ne puis me venger ?
1485 Allons : c'est à moi seule à me rendre justice[5].
Que de cris de douleur le temple retentisse ;
De leur hymen fatal troublons l'événement[6],
Et qu'ils ne soient unis, s'il se peut, qu'un moment.
Je ne choisirai point dans ce désordre extrême :
1490 Tout me sera Pyrrhus[7], fût-ce Oreste lui-même.
Je mourrai ; mais au moins ma mort me vengera,
Je ne mourrai pas seule, et quelqu'un me suivra.

---

1. **Soi-même :** lui-même.
2. **Les :** Andromaque et Pyrrhus.
3. **Prétends :** réclame.
4. **Amant :** amoureux, soupirant.
5. **Me rendre justice :** me faire justice.
6. **Événement :** issue.
7. **Tout me sera Pyrrhus :** tout méritera ma haine et ma vengeance.

Clefs d'analyse

Action et personnages

1. Découpez le monologue d'Hermione dans la scène 1, en montrant les différents revirements de son discours. Quel vers, au début, programme cette instabilité ? Que veut dire Racine au sujet des passions ?

2. L'amour d'Hermione pour Pyrrhus n'était-il dicté que par son devoir ? Citez un vers qui révèle l'ancienneté de ce sentiment.

3. Par quels mots ou expressions Hermione se désigne-t-elle dans son monologue ? Faites-en le relevé, et commentez-les.

4. Quelle fonction Cléone remplit-elle dans la scène 2 ? En quoi son discours est-il utile aux spectateurs autant qu'à la princesse ?

5. Que nous révèle Cléone au sujet de l'état psychologique d'Oreste ? Cela rend-il ce personnage sympathique au public ?

Langue

6. Classez les phrases interrogatives dans le monologue d'Hermione en fonction de la valeur qu'elles possèdent.

7. Quels sont les termes que la princesse applique à Pyrrhus ? Quels sont les sentiments qu'ils expriment ? Quelle évolution remarque-t-on pourtant ?

8. Trouvez des exemples de vers construits sur une opposition et une symétrie. En quoi ce procédé stylistique renforce-t-il l'analyse psychologique que Racine fait d'Hermione ?

9. Dans la scène 2, que trahit l'accumulation de questions dans la deuxième réplique de la princesse ?

10. Relevez le vocabulaire de la peur et de la terreur. Qui a peur ? De quoi ? Comment Hermione interprète-t-elle cette peur ?

11. Quel est le dernier temps verbal utilisé par Hermione ? L'emploi de ce temps est-il justifié ? Qu'est-ce que Racine veut nous faire comprendre par là sur les motifs des actions humaines ?

Clefs d'analyse **Acte V,** scènes 1 et 2

Genre ou thèmes

12. Quels sont les lieux cités dans le monologue d'Hermione ? De quel lieu se sent-elle exclue ? Dans lequel se sent-elle prisonnière ?

13. Montrez ce qu'Hermione emprunte au vocabulaire de la justice et du pouvoir. Que vient-elle de perdre, outre l'amour de Pyrrhus ? Sachant de qui elle est la fille, est-ce une perte importante pour elle ? Comment la compense-t-elle ?

14. Quelle erreur fatale semble commettre Pyrrhus, d'après ce que dit Cléone ? Peut-on comparer son attitude avec celle d'Hermione ?

15. Montrez que le mariage de Pyrrhus et d'Andromaque est lui aussi mis en scène comme un spectacle. Mais de quel genre de théâtre s'agit-il forcément ?

Écriture

16. Écrivez, sous forme de texte théâtral, la scène de mariage entre Pyrrhus et Andromaque, en tenant compte de ce que Racine nous en apprend par l'intermédiaire de Cléone.

Pour aller plus loin

17. Quels pouvoirs représentent le « temple » et le « palais » ? Faites une recherche sur les relations entre ces deux pouvoirs à l'époque de Racine.

✳ À retenir

La tragédie classique obéit à la règle des trois unités, dont l'unité de lieu. C'est pour cela que le mariage, qui se déroule dans le temple, ne peut être mis en scène, puisque la pièce se passe entièrement dans le palais de Pyrrhus. Mais, grâce aux récits qu'en font certains personnages, le public peut apprendre malgré tout ce qui a lieu en dehors de la scène.

Scène 3 ORESTE, HERMIONE, CLÉONE

ORESTE

Madame, c'en est fait, et vous êtes servie :
Pyrrhus rend à l'autel son infidèle vie.

HERMIONE

1495 Il est mort ?

ORESTE

Il expire ; et nos Grecs irrités
Ont lavé dans son sang ses infidélités.
Je vous l'avais promis ; et quoique mon courage
Se fît de ce complot une funeste image,
J'ai couru vers le temple, où nos Grecs dispersés
1500 Se sont jusqu'à l'autel dans la foule glissés. *crowd*
Pyrrhus m'a reconnu. Mais sans changer de face[1],
Il semblait que ma vue excitât son audace,
Que tous les Grecs, bravés en leur ambassadeur[2],
Dussent de son hymen relever[3] la splendeur.
1505 Enfin, avec transport prenant son diadème, *crown*
Sur le front d'Andromaque il l'a posé lui-même :
« Je vous donne, a-t-il dit, ma couronne et ma foi,
Andromaque ; régnez sur l'Épire et sur moi.
Je voue à votre fils une amitié de père[4] ;
1510 J'en atteste les Dieux, je le jure à sa mère.
Pour tous mes ennemis je déclare les siens[5],
Et je le reconnais pour le roi des Troyens. »
À ces mots, qui du peuple attiraient le suffrage,
Nos Grecs n'ont répondu que par un cri de rage ;
1515 L'infidèle[6] s'est vu partout envelopper[7],
Et je n'ai pu trouver de place pour frapper.

---

1. **Face** : expression.
2. **Bravés en leur ambassadeur** : insultés en la personne de leur ambassadeur.
3. **Relever** : rehausser, augmenter.
4. **Amitié de père** : amour paternel.
5. **Pour tous mes ennemis je déclare les siens** : je déclare que les ennemis d'Astyanax seront aussi les miens.
6. **L'infidèle** : le traître (envers les Grecs).
7. **Envelopper** : encercler.

Chacun se disputait la gloire de l'abattre.
Je l'ai vu dans leurs mains quelque temps se débattre,
Tout sanglant à leurs coups vouloir se dérober ;
1520 Mais enfin à l'autel il est allé tomber.
Du peuple épouvanté j'ai traversé la presse[1]
Pour venir de ces lieux enlever ma Princesse,
Et regagner le port, où bientôt nos amis
Viendront couverts du sang que je vous ai promis.

HERMIONE

1525 Qu'ont-ils fait !

ORESTE

Pardonnez à leur impatience :
Ils ont, je le vois bien, trahi votre vengeance.
Vous vouliez que ma main portât les premiers coups,
Qu'il sentît en mourant qu'il expirait pour vous ;
Mais c'est moi dont l'ardeur leur a servi d'exemple :
1530 Je les ai pour vous seule entraînés dans le temple,
Madame ; et vous pouvez justement vous flatter[2]
D'une mort que leurs bras n'ont fait qu'exécuter.
Vous seule avez poussé les coups...

HERMIONE

Tais-toi, perfide,
Et n'impute qu'à toi ton lâche parricide[3].
1535 Va faire chez tes Grecs admirer ta fureur,
Va, je la désavoue, et tu me fais horreur.
Barbare, qu'as-tu fait ? Avec quelle furie
As-tu tranché le cours d'une si belle vie !
Avez-vous pu, cruels, l'immoler aujourd'hui,
1540 Sans que tout votre sang se soulevât pour lui ?
Mais parle : de son sort qui t'a rendu l'arbitre ?
Pourquoi l'assassiner ? Qu'a-t-il fait ? À quel titre ?
Qui te l'a dit ?

---

1. **Presse :** bousculade.
2. **Vous flatter :** être fière.
3. **Parricide :** ici, meurtre du roi (considéré comme le « père » de ses sujets, au XVIIe siècle).

ORESTE

Ô dieux ! Quoi ? ne m'avez-vous pas
Vous-même, ici, tantôt, ordonné son trépas ?

HERMIONE

1545 Ah ! fallait-il en croire une amante[1] insensée ?
Ne devais-tu pas lire au fond de ma pensée ?
Et ne voyais-tu pas dans mes emportements
Que mon cœur démentait ma bouche à tous moments ? *demy*
Quand je l'aurais voulu, fallait-il y souscrire ?
1550 N'as-tu pas dû cent fois te le faire redire ?
Toi-même avant le coup me venir consulter,
Y revenir encore, ou plutôt m'éviter ?
Que ne me laissais-tu le soin de ma vengeance !
Qui t'amène en des lieux où l'on fuit ta présence ?
1555 Voilà de ton amour le détestable fruit :
Tu m'apportais, cruel, le malheur qui te suit.
C'est toi dont l'ambassade, à tous les deux fatale,
L'a fait pour son malheur pencher vers ma rivale. *lean in*
Nous le verrions encor nous partager ses soins[2] ;
1560 Il m'aimerait peut-être ; il le feindrait du moins. *pretend*
Adieu. Tu peux partir. Je demeure en Épire :
Je renonce à la Grèce, à Sparte, à son empire,
À toute ma famille ; et c'est assez pour moi,
Traître, qu'elle ait produit un monstre comme toi.

Scène 4 ORESTE, *seul.*

ORESTE

1565 Que vois-je ? est-ce Hermione ? Et que viens-je d'entendre ?
Pour qui coule le sang que je viens de répandre ?

---

1. **Amante :** amoureuse.
2. **Soins :** attentions que l'amoureux porte à l'être aimé.

Je suis, si je l'en crois, un traître, un assassin.
Est-ce Pyrrhus qui meurt ? et suis-je Oreste enfin ?
Quoi ! j'étouffe en mon cœur la raison qui m'éclaire ; *muffled*
1570 J'assassine à regret un roi que je révère ;
Je viole en un jour les droits des souverains,
Ceux des ambassadeurs, et tous ceux des humains,
Ceux même des autels où ma fureur l'assiège[1] :
Je deviens parricide, assassin, sacrilège.
1575 Pour qui ? pour une ingrate à qui je le promets,
Qui même, s'il ne meurt, ne me verra jamais,
Dont j'épouse[2] la rage. Et quand je l'ai servie,
Elle me redemande et son sang et sa vie[3] ?
Elle l'aime ! Et je suis un monstre furieux !
1580 Je la vois pour jamais s'éloigner de mes yeux !
Et l'ingrate, en fuyant, me laisse pour salaire
Tous les noms odieux que j'ai pris pour lui plaire !

Scène 5   ORESTE, PYLADE, SOLDATS D'ORESTE

PYLADE

Il faut partir, Seigneur. Sortons de ce palais,
Ou bien résolvons-nous de n'en sortir jamais.
1585 Nos Grecs pour un moment en défendent la porte.
Tout le peuple assemblé nous poursuit à main forte[4].
Aux ordres d'Andromaque ici tout est soumis :
Ils la traitent en reine, et nous comme ennemis.
Andromaque elle-même, à Pyrrhus si rebelle,
1590 Lui rend tous les devoirs d'une veuve fidèle,
Commande qu'on le venge, et peut-être sur nous

---

1. **Assiège :** attaque.
2. **J'épouse :** je partage.
3. **Son sang et sa vie :** le sang et la vie de Pyrrhus.
4. **À main forte :** en armes.

Veut venger Troie encore et son premier époux.
Allons. N'attendons pas que l'on nous environne[1] :
Nos Grecs nous rejoindront ; et tandis qu'Hermione
1595 Tient encore le peuple autour d'elle arrêté,
Voilà notre chemin, sortons en sûreté.

ORESTE

Non, non, c'est Hermione, amis, que je veux suivre.
À son dernier arrêt je ne puis plus survivre.
Partez : j'ai fait le crime, et je vais l'expier.

PYLADE

1600 Hermione, Seigneur ? Il la faut oublier.
Quoi ! Toujours l'instrument et l'objet de sa rage,
Cherchez-vous chez les morts quelque nouvel outrage[2]
Et parce qu'elle meurt, faut-il que vous mouriez ?

ORESTE

Elle meurt ? Dieux ! Qu'entends-je ?

PYLADE

                    Eh quoi ! vous l'ignoriez ?
1605 En rentrant dans ces lieux nous l'avons rencontrée
Qui courait vers le temple, inquiète, égarée[3].
Elle a trouvé Pyrrhus porté sur des soldats[4]
Que son sang excitait à venger son trépas.
Sans doute à cet objet[5] sa rage s'est émue.
1610 Mais du haut de la porte[6] enfin nous l'avons vue,
Un poignard à la main, sur Pyrrhus se courber[7],
Lever les yeux au ciel, se frapper et tomber.

ORESTE

Grâce aux dieux ! Mon malheur passe mon espérance[8] :

---

1. **Environne :** encercle.
2. **Outrage :** affront (de la part d'Hermione).
3. **Égarée :** rendue folle.
4. **Porté sur des soldats :** porté par des soldats.
5. **Objet :** vue, spectacle.
6. **Du haut de la porte :** du haut de l'escalier menant à la porte du palais.
7. **Se courber :** se pencher.
8. **Mon malheur passe mon espérance :** mon malheur dépasse mon imagination.

Oui, je te loue, ô Ciel, de ta persévérance[1].
1615 Appliqué sans relâche au soin de me punir,
Au comble des douleurs tu m'as fait parvenir.
Ta haine a pris plaisir à former ma misère[2] ;
J'étais né pour servir d'exemple à ta colère,
Pour être du malheur un modèle accompli.
1620 Hé bien ! je meurs content, et mon sort est rempli.
Où sont ces deux amants ? Pour couronner ma joie,
Dans leur sang, dans le mien, il faut que je me noie ;
L'un et l'autre en mourant je les veux regarder.
Réunissons trois cœurs qui n'ont pu s'accorder…
1625 Mais quelle épaisse nuit tout à coup m'environne ?
De quel côté sortir ? D'où vient que je frissonne ?
Quelle horreur me saisit ? Grâce au ciel, j'entrevois…
Dieux ! quels ruisseaux de sang coulent autour de moi !

PYLADE

Ah ! Seigneur.

ORESTE

Quoi ! Pyrrhus, je te rencontre encore ?
1630 Trouverai-je partout un rival que j'abhorre ?
Percé de tant de coups, comment t'es-tu sauvé ?
Tiens, tiens, voilà le coup que je t'ai réservé.
Mais que vois-je ? À mes yeux Hermione l'embrasse[3] ?
Elle vient l'arracher au coup qui le menace ?
1635 Dieux ! quels affreux regards elle jette sur moi !
Quels démons, quels serpents traîne-t-elle après soi ?
Hé bien ! filles d'enfer[4], vos mains sont-elles prêtes ?
Pour qui sont ces serpents qui sifflent sur vos têtes ?
À qui destinez-vous l'appareil qui vous suit ?
1640 Venez-vous m'enlever dans l'éternelle nuit ?
Venez, à vos fureurs Oreste s'abandonne.

---

1. **Persévérance :** acharnement.
2. **Misère :** malheur.
3. **Embrasse :** serre dans ses bras.
4. **Filles d'enfer :** les Furies, déesses de la Vengeance, qui poursuivaient les meurtriers.

Mais non, retirez-vous, laissez faire Hermione :
L'ingrate mieux que vous saura me déchirer ;
Et je lui porte enfin mon cœur à dévorer.

PYLADE

1645 Il perd le sentiment[1]. Amis, le temps nous presse :
Ménageons[2] les moments que ce transport nous laisse.
Sauvons-le. Nos efforts deviendraient impuissants
S'il reprenait ici sa rage avec ses sens.

Andromaque. Gravure de Massard (1775-1843).
Illustration de Girodet (1767-1824).

---

1. **Il perd le sentiment :** il perd connaissance.
2. **Ménageons :** mettons à profit.

Clefs d'analyse

Action et personnages

1. Quel est le destin des quatre personnages principaux ? Lequel est le plus inattendu, et pourquoi ?

2. Dans la scène 3, en quoi Oreste a-t-il le même rôle que Cléone avant lui ? Quelle est cependant la différence essentielle entre les deux récits ?

3. En quoi les derniers mots d'Hermione à Oreste sont-ils définitifs ?

4. Quelle est l'utilité du monologue d'Oreste à la scène 4 ?

5. Quel rôle joue Pylade auprès d'Oreste ? Dans quelle situation sont-ils ?

6. Quelles sont les deux causes principales de la folie d'Oreste ?

Langue

7. Étudiez les mots à la rime aux vers 1515-1524 et classez-les par champs lexicaux. Que remarquez-vous ?

8. Que signifie le mot « parricide » (v. 1534) ? Pourquoi s'applique-t-il ici ?

9. Quels qualificatifs Hermione applique-t-elle à son cousin après le récit du meurtre de Pyrrhus ? Que signifie exactement le mot « monstre » ? En quoi est-ce l'injure la plus violente que prononce la princesse ?

10. Dans la scène 4, trouvez le vers dans lequel Oreste récapitule ses crimes.

11. Commentez l'expression « Dont j'épouse la rage ! » (v. 1577).

12. Quel est l'effet produit par la célèbre allitération du vers 1638 ?

Genre ou thèmes

13. Pour quelle raison la mort de Pyrrhus et celle d'Hermione ne sont-elles pas montrées directement sur la scène ? Comment s'appelle la règle du théâtre classique qui l'interdit ?

14. Comment les spectateurs réagissent-ils à la réponse d'Hermione à Oreste à partir du vers 1533 ? Oreste pouvait-il s'attendre à ce dernier revirement ? Et le public ?

15. De quoi Hermione accuse-t-elle Oreste à partir du vers 1557 ? Montrez qu'elle n'a ni entièrement raison, ni entièrement tort.

16. Comment se manifeste la folie d'Oreste dans la scène 4 ? Et dans la scène 5 ?

17. Expliquez le paradoxe dans le vers 1580. Qu'est-ce que cela annonce dans la scène dernière ?

18. À quel destin s'attend Oreste dans la dernière scène ? Qui veut-il même imiter, et pourquoi ? Le dénouement vous semble-t-il pour lui plus tragique ou moins tragique que pour Pyrrhus et pour Hermione ?

Écriture

19. Imaginez que la pièce se termine par un dialogue entre Andromaque et Céphise, qui devra tenir compte des dernières scènes, et annoncera les résolutions de la nouvelle reine.

Pour aller plus loin

20. Qui était la déesse Némésis ? Qui sont les Furies, et comment les Grecs les nommaient-ils ? Renseignez-vous aussi sur la suite de l'histoire d'Oreste, dans la mythologie. Quels points communs trouvez-vous avec l'histoire imaginée par Racine ?

> ## ✳ À retenir
>
> Une tragédie classique se termine en principe par une ou plusieurs morts. C'est ce qu'on appelle l'hécatombe, un mot grec désignant à l'origine le « sacrifice de cent bœufs ». *Andromaque* est fidèle à cette règle, puisque nous trouvons à la fin un meurtre et un suicide. Oreste survit, mais en devenant fou, il est puni par la fatalité comme les deux autres.

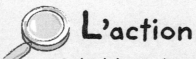

L'action

1. Cochez la bonne réponse :

1. Oreste est venu en Épire réclamer Astyanax :
   - ☐ a. Parce que Pyrrhus s'était engagé à le livrer aux Grecs.
   - ☐ b. Parce que les Grecs voient en lui une menace.
   - ☐ c. Parce qu'il sait que Pyrrhus refusera et que ce sera le prétexte d'une guerre.

2. Pyrrhus refuse de livrer Astyanax :
   - ☐ a. Parce qu'il cherche à provoquer la colère des Grecs.
   - ☐ b. Parce qu'il a prévu d'en faire son héritier.
   - ☐ c. Parce qu'il craint de mécontenter Andromaque.

3. Oreste demande à voir Hermione :
   - ☐ a. Pour lui déclarer à nouveau son amour.
   - ☐ b. Pour lui demander de servir d'intermédiaire entre Pyrrhus et lui.
   - ☐ c. Pour lui apporter des nouvelles de la Grèce.

4. Pyrrhus hésite à épouser Hermione :
   - ☐ a. Parce qu'il n'est pas amoureux d'elle.
   - ☐ b. Parce que c'est une étrangère et une ennemie de l'Épire.
   - ☐ c. Parce qu'il redoute les ambitions de la princesse.

5. Quand Oreste lui annonce son intention d'enlever Hermione :
   - ☐ a. Pylade veut l'en dissuader à tout prix.
   - ☐ b. Pylade lui conseille plutôt de la faire assassiner.
   - ☐ c. Pylade lui donne son approbation.

6. Andromaque supplie Hermione :
   - ☐ a. De l'aider à sauver son fils.
   - ☐ b. D'accepter le mariage que Pyrrhus lui propose.
   - ☐ c. De s'enfuir avec Oreste pour ne pas épouser Pyrrhus.

7. Avant de prendre sa décision d'épouser Pyrrhus ou non :
   - ☐ a. Andromaque veut avoir l'opinion d'Oreste.
   - ☐ b. Andromaque exige que son fils soit adopté par le roi.
   - ☐ c. Andromaque va se recueillir sur le tombeau d'Hector.

Avez-vous bien lu ?

8. Andromaque a décidé d'épouser Pyrrhus, mais :
   - ☐ a. Elle a prévu de se suicider aussitôt après.
   - ☐ b. Elle a décidé de cacher Astyanax sur une île déserte.
   - ☐ c. Elle exige en contrepartie qu'Oreste épouse Hermione.

9. Oreste hésite à assassiner Pyrrhus :
   - ☐ a. Parce qu'il n'est pas sûr qu'Hermione le veuille vraiment.
   - ☐ b. Parce qu'il considère que ce serait un grand crime.
   - ☐ c. Parce qu'il craint que les Grecs ne soient finalement vaincus.

10. Lorsqu'elle apprend la mort de Pyrrhus :
   - ☐ a. Hermione devient folle.
   - ☐ b. Hermione entreprend de tuer Andromaque.
   - ☐ c. Hermione se suicide.

2. Remettez ces différents événements dans l'ordre chronologique suivi par la pièce :

1. Hermione ordonne à Oreste de la venger en allant tuer Pyrrhus.
2. Pyrrhus rejette la demande que lui fait Oreste de livrer Astyanax aux Grecs.
3. Andromaque accepte finalement d'épouser Pyrrhus.
4. Oreste retrouve Pylade à son arrivée à Buthrote.
5. Le mariage de Pyrrhus et d'Andromaque est célébré.
6. Pyrrhus décide d'épouser Hermione.
7. Oreste devient fou.
8. Andromaque persiste dans son refus d'épouser Pyrrhus.
9. Oreste projette d'enlever Hermione.
10. Hermione se suicide.
11. Pyrrhus annonce à Hermione qu'il épouse finalement Andromaque.
12. Andromaque va se recueillir sur le tombeau d'Hector.
13. Andromaque accepte finalement d'épouser Pyrrhus.
14. Pyrrhus est assassiné dans le temple.
15. Oreste rencontre Pyrrhus pour lui faire part de la mission que les Grecs lui ont confiée.
16. Hermione reproche à Oreste d'avoir assassiné Pyrrhus.
17. Pyrrhus accepte de livrer Astyanax aux Grecs.

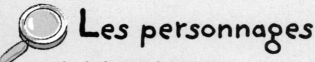

Les personnages

Cochez les bonnes réponses :

1. Pyrrhus :
   - ☐ a. est le fils d'Achille.
   - ☐ b. est amoureux d'Hermione.
   - ☐ c. veut déclarer la guerre aux Grecs.
   - ☐ d. a tué Priam.
   - ☐ e. refuse de livrer Andromaque aux Grecs.

2. Andromaque :
   - ☐ a. est la fille de Priam.
   - ☐ b. veut rester fidèle à la mémoire d'Hector.
   - ☐ c. aime secrètement Pyrrhus.
   - ☐ d. ne rencontre jamais Oreste dans la pièce.
   - ☐ e. cherche à sauver son fils à tout prix.

3. Oreste :
   - ☐ a. est le cousin de Pylade.
   - ☐ b. aime Hermione depuis dix ans.
   - ☐ c. a été nommé ambassadeur par Ménélas.
   - ☐ d. est le fils d'Agamemnon.
   - ☐ e. veut enlever Astyanax pour son propre compte.

4. Hermione :
   - ☐ a. est originaire de Buthrote.
   - ☐ b. est la cousine d'Oreste.
   - ☐ c. est soumise à la volonté de son père.
   - ☐ d. est orgueilleuse et manipulatrice.
   - ☐ e. n'aime Pyrrhus que par intérêt.

5. Pylade :
   - ☐ a. est le conseiller de Pyrrhus.
   - ☐ b. est secrètement amoureux d'Hermione.
   - ☐ c. suggère à Oreste d'enlever Hermione.

6. Phoenix :
   - ☐ a. est le cousin de Pyrrhus.
   - ☐ b. approuve l'amour de Pyrrhus pour Andromaque.

Avez-vous bien lu ?

7. Céphise :
   - ☐ a. est la confidente d'Hermione.
   - ☐ b. veut dissuader sa maîtresse de se suicider.

8. Cléone :
   - ☐ a. conseille à sa maîtresse de se laisser aimer par Oreste.
   - ☐ b. raconte à Hermione la mort de Pyrrhus.

Citations

Qui a dit ?

1. Ah ! ne puis-je savoir si j'aime ou si je hais ?
2. Pour qui sont ces serpents qui sifflent sur vos têtes ?
3. Songez-y bien : il faut désormais que mon cœur/S'il n'aime avec transport, haïsse avec fureur.
4. Oui, oui, vous me suivrez, n'en doutez nullement.
5. L'amour me fait ici chercher une inhumaine.
6. Quel mépris la cruelle attache à ses refus !
7. Va faire chez tes Grecs admirer ta fureur,/Va ; je la désavoue, et tu me fais horreur.
8. Prenons, en signalant mon bras et votre nom/Vous, la place d'Hélène, et moi, d'Agamemnon.
9. Mais ce n'est plus, Madame, une offre à dédaigner:/Je vous le dis, il faut ou périr ou régner.
10. Oui, puisque je retrouve un ami si fidèle,/Ma fortune va prendre une face nouvelle.
11. Hélas ! il mourra donc. Il n'a pour sa défense/Que les pleurs de sa mère et que son innocence.
12. Poursuivez : il est beau de m'insulter ainsi.
13. Je t'aimais inconstant, qu'aurais-je fait fidèle ?
14. Pour la dernière fois, sauvez-le, sauvez-vous.
15. Que je me perde ou non, je songe à me venger.

16. Et parce qu'elle meurt faut-il que vous mouriez ?
17. Que m'importe, Seigneur, sa haine ou sa tendresse ?
18. Voilà de mon amour l'innocent stratagème.
19. La gloire d'obéir est tout ce qu'on nous laisse.
20. Il faut que je l'enlève, ou bien que je périsse.

Les mots du XVIIᵉ siècle

1. Reliez le mot du XVIIᵉ siècle à son équivalent actuel :

1. fureur •	• a. destin, sort, chance
2. hymen •	• b. passion amoureuse
3. admirer •	• c. faire plaisir
4. souffrir •	• d. affront, injustice
5. foi •	• e. comprendre
6. content •	• f. tourment, chagrin
7. flatter •	• g. décision.
8. prévenir •	• h. pendant ce temps
9. poursuite •	• i. satisfait, contenté
10. fortune •	• j. affection, sentiment
11. soins •	• k. supporter, tolérer
12. flamme •	• l. donner de ses nouvelles
13. ennui •	• m. mariage
14. amitié •	• n. folie, colère
15. injure •	• o. en réalité, vraiment
16. entendre •	• p. attentions apportées à l'être aimé
17. cependant •	• q. devancer
18. conseil •	• r. fidélité, serment d'amour
19. mander •	• s. s'étonner de
20. en effet •	• t. persécution, acharnement

2. Retrouvez les rimes de cette réplique d'Andromaque (sans vous reporter au texte !) en utilisant les mots proposés ci-dessous :

> *Hector – haine – prétendent – père – Hélène – encor – guère – vous – demandent – époux*

Seigneur, tant de grandeurs ne nous touchent plus ....

Je les lui promettais tant qu'a vécu son ....

Non, vous n'espérez plus de nous revoir ....

Sacrés murs que n'a pu conserver mon .... !

À de moindres faveurs des malheureux ....

Seigneur : c'est un exil que mes pleurs vous ....

Souffrez que, loin des Grecs, et même loin de ....

J'aille cacher mon fils, et pleurer mon ....

Votre amour contre nous allume trop de ....

Retournez, retournez à la fille d'...............

 # Le genre

Rayez les phrases qui vous semblent fausses :

1. On appelle la première scène d'une pièce de théâtre scène d'introduction.

2. Racine n'a écrit qu'une seule comédie dans sa carrière.

3. Les didascalies sont les indications placées en italiques, qui renseignent sur le ton ou les gestes des personnages.

125

4. Racine a respecté scrupuleusement le mythe grec dans sa pièce.

5. Le mot « hubris » désigne la démesure, l'extrémisme des héros tragiques.

6. L'intention de la tragédie est de faire rire le public.

7. Une tragédie classique est toujours écrite en alexandrins.

8. Racine utilise des rimes « suivies » (ou « plates »).

9. *Andromaque* est une pièce que Racine a écrite à la fin de sa carrière.

10. Les personnages secondaires dans une tragédie ont des rôles de domestiques.

11. Les malheurs des personnages tragiques correspondent au châtiment que les dieux leur infligent.

12. La « catharsis » signifie que la tragédie doit purifier les spectateurs de leurs désirs criminels.

13. Les héros tragiques méritent leur destin, car ils sont entièrement mauvais.

14. La folie d'Oreste est un châtiment aussi terrible que la mort.

15. La pièce contient de nombreuses allusions à la guerre de Troie.

16. On appelle « galanterie », au XVIIe siècle, l'art de parler d'amour avec élégance.

17. Un « dilemme » est une situation dans laquelle le personnage tragique doit choisir entre une bonne solution et une mauvaise.

18. Le registre pathétique est étroitement lié au genre tragique.

19. Les héros tragiques sont toujours de rang royal.

20. La règle de l'unité de temps signifie que l'intrigue d'une tragédie doit se dérouler en quelques jours.

POUR
APPROFONDIR

Thèmes et prolongements

✥ La tragédie et le tragique

> Il ne faut pas confondre ces deux mots. La tragédie est un « genre » théâtral, comme la comédie, le drame… Ce terme s'applique à l'œuvre dans son ensemble. Au contraire, le tragique est un « registre » : on le trouve dans la tragédie mais aussi dans le roman, par exemple.

La tragédie grecque

Comme la comédie, la tragédie est apparue dans la Grèce ancienne. On pense que son nom dérive du mot grec *tragos*, qui signifie le « bouc ». Cet animal, en effet, était utilisé pour les sacrifices offerts aux dieux. Il en reste quelque chose aujourd'hui dans l'expression « bouc émissaire ». Être le bouc émissaire, c'est être la victime d'un groupe. Dans leurs sacrifices, les Grecs tuaient des animaux pour apaiser la colère des dieux. De même, dans les tragédies, certains personnages sont appelés à mourir, en quelque sorte « sacrifiés » pour que la Cité ne fasse pas l'objet de la vengeance divine. Bien sûr, les tragédies ne sont que des imitations de sacrifices : les acteurs ne meurent pas vraiment, ils jouent seulement un rôle. Mais le principe est le même à l'origine. On suppose que les spectacles tragiques des Grecs étaient la version civilisée d'anciens rituels de sacrifices humains.

Les héros de tragédie sont toujours des personnages appartenant à des familles royales de la mythologie. Leur caractère est souvent excessif (c'est ce qu'on appelle leur *hubris*), et à cause de cela ils commettent souvent une faute qui va entraîner leur perte. Par exemple, dans *Andromaque*, la faute de Pyrrhus est de vouloir rompre ses fiançailles avec Hermione : il ne respecte pas sa parole et insulte donc la loi des dieux. Le héros tragique meurt souvent à la fin de la pièce parce que les dieux veulent le punir de cette faute.

La tragédie classique

En France, au XVIIᵉ siècle, la tragédie est redevenue à la mode. Racine s'est beaucoup inspiré des modèles de l'Antiquité, et notamment

Pour approfondir

128

d'Euripide, un auteur grec. Les dramaturges de l'époque classique ont cherché à suivre les conseils d'Aristote, un grand philosophe grec qui a analysé les tragédies dans un livre intitulé *La Poétique*. C'est ainsi que sont nées les « règles » de la tragédie classique. On distingue la règle des « trois unités » (unité de temps, de lieu, d'action), la règle de la vraisemblance, la règle de la bienséance, par exemple... L'unité de temps signifie que l'intrigue doit tenir en vingt-quatre heures ; l'unité de lieu, que la pièce doit se passer dans un seul et même endroit, l'unité d'action, qu'elle doit raconter une seule histoire. La vraisemblance implique que les personnages doivent être crédibles. Chez Racine, la vraisemblance est surtout psychologique : les héros ne sont ni tout à fait bons, ni tout à fait mauvais. Enfin, la bienséance interdit de montrer sur la scène des événements trop choquants, comme des suicides ou des meurtres. Ces événements sont donc racontés, mais non montrés : au public de se faire une idée !

Le tragique

Le registre tragique est lié à la tragédie. Plusieurs aspects permettent de le reconnaître. La présence de la fatalité (c'est-à-dire du destin) en est un : les personnages agissent, sans savoir qu'ils sont en fait des marionnettes entre les mains des dieux. Racine a été très marqué par un courant religieux de son temps, le jansénisme, qui affirmait la toute-puissance de Dieu. Dans les tragédies raciniennes, le Dieu chrétien se cache derrière les divinités mythologiques. Les héros tragiques sont souvent confrontés à des dilemmes : ils doivent choisir entre deux solutions qui ont chacune de graves inconvénients. Pyrrhus hésite entre l'amour et le devoir : c'est-à-dire en fait entre la guerre (s'il épouse Andromaque) et son malheur personnel (s'il épouse Hermione). Le tragique se reconnaît aussi à son effet sur le public : il doit inspirer de la terreur et de la pitié. Le registre pathétique est donc lié au registre tragique. Enfin, la mort est l'issue inévitable de la tragédie, c'est un autre indice du tragique.

Pour approfondir

✤ La guerre de Troie

Les événements de la pièce sont liés à la guerre de Troie. On pense que ce conflit, s'il a eu lieu, s'est déroulé au XIIᵉ siècle avant J.-C. ou peut-être plus tôt. Troie était une ville riche et puissante, qui contrôlait le passage entre l'Asie et l'Europe (aujourd'hui en Turquie). C'est Homère qui a raconté cette guerre dans *L'Iliade*, la première épopée grecque.

Une ville légendaire

Les archéologues ont montré qu'une ville existait déjà sur le site de Troie il y a cinq mille ans ! En fait, cette cité a été plusieurs fois détruite et reconstruite. Il y a eu neuf villes de Troie en tout, et on pense que celle dont parle Homère est la septième. Mais il est difficile de distinguer entre l'histoire et la légende. Pour les Grecs, Troie avait été fondée par le héros Trôs, descendant de Zeus, d'où son nom. Mais on l'appelait aussi Ilion. Les dieux la protégeaient : par exemple, c'est Poséidon qui aurait bâti ses murailles. Troie était située tout près du détroit des Dardanelles, qui sépare l'Asie de l'Europe. Elle jouait un grand rôle dans le commerce, c'est pourquoi les Achéens, c'est-à-dire les Grecs, enviaient sa puissance et sa richesse...

Une ville convoitée

D'après Homère, le roi de Troie s'appelait Priam. Il avait cinquante fils et douze filles ! Ses enfants les plus célèbres étaient Pâris, Hector et Cassandre. C'est Pâris qui a déclenché la guerre, en enlevant Hélène, la reine de Sparte, en Grèce. Pour se venger, les Achéens ont attaqué la ville : toutes les cités grecques se sont alliées contre Troie. L'épopée d'Homère raconte les combats les plus fameux entre les héros. Le roi de Sparte, Agamemnon, a provoqué la colère de son allié Achille (le père de Pyrrhus). Celui-ci a cessé le combat et les Troyens ont vaincu les Grecs. Mais finalement, Achille s'est réconcilié avec les Grecs. Après la mort de son ami Patrocle, il a tué Hector. Il a traîné son cadavre autour des murailles, mais, par générosité, a accepté de le rendre au vieux roi Priam. Et Hector a pu recevoir un enterrement digne de lui C'est là que s'arrête *L'Iliade*. La suite de la guerre est racontée dans *L'Odyssée*, dont le héros central est Ulysse. C'est lui qui a eu l'idée du fameux « cheval de Troie » qui a permis aux Grecs d'entrer en cachette dans la cité des Troyens. La ville a été conquise et incendiée. Ulysse, vainqueur, est finalement rentré chez lui à Ithaque après dix ans d'errance sur les mers.

Un mythe littéraire

L'histoire de la guerre de Troie est un des mythes essentiels de la culture occidentale. Tout le monde connaît encore cette histoire aujourd'hui. Déjà les Romains, dans l'Antiquité, s'étaient appropriés ce mythe. Le grand poète latin Virgile a par exemple écrit une épopée pour célébrer la gloire de Rome : *L'Énéide*. D'après lui, la ville de Rome aurait été fondée par Énée, un prince troyen survivant de la guerre, une sorte de nouvel Ulysse qui aurait traversé la Méditerranée jusqu'à Carthage (en Tunisie aujourd'hui) avant de fonder Rome. C'était en outre le fils de la déesse Aphrodite : ce mythe avait pour but de montrer l'origine divine de la civilisation romaine. Mais les Français ont fait exactement la même chose : dès le Moyen Âge, on a inventé le personnage de Pharamond, descendant peu connu du roi Priam, considéré comme l'ancêtre de la monarchie franque puis française... Le roi Louis XIV était donc très intéressé par une pièce comme *Andromaque*, pensant qu'il descendait lui-même des rois de Troie ! Évidemment, tout cela est une fiction, mais les Français ont attendu le XVIIIe siècle pour l'admettre... Cet exemple vous permet de mieux comprendre pourquoi la guerre de Troie fascine depuis des siècles, et pourquoi, aujourd'hui encore, on tourne régulièrement des films sur ce sujet à Hollywood. Tous les personnages de la pièce de Racine sont liés à ces événements mythiques : Andromaque, la veuve d'Hector, aussi bien que Pyrrhus, Oreste et Hermione.

Pour approfondir

Thèmes et prolongements

❖ Passion et politique

> Les rapports complexes et souvent conflictuels entre la passion amou-
> reuse et la politique sont l'un des sujets de prédilection dans les tra-
> gédies, et notamment chez Racine. Cette question est centrale dans
> *Andromaque*, mais dans bien d'autres pièces de cet auteur.

Le héros tragique est politique

Parce qu'ils sont de rang royal, les héros tragiques sont directement
liés au monde de la politique. Dans *Andromaque*, Pyrrhus est le roi de
l'Épire. Mais les autres personnages ne sont pas en reste : Hermione
est princesse, fille de Ménélas, roi de Sparte ; Oreste, est fils d'Agamemnon, roi d'Argos. Quant à Andromaque, elle est veuve d'Hector, le fils aîné de Priam : elle aurait donc pu être reine de Troie. Son
fils Astyanax est l'héritier de cette maison royale, c'est pourquoi les
Grecs réclament sa tête. Le pouvoir est donc une disposition essentielle de ces personnages. Hermione est amoureuse, mais aussi
ambitieuse : elle ne peut supporter de renoncer ni à sa passion, ni
au trône. Oreste, de même, se voit comme héritier et successeur de
son père, chef des Grecs pendant la guerre de Troie : c'est pour cela
qu'on lui a confié une mission d'ambassadeur.

Les grandes tragédies de Racine posent des problèmes semblables.
Dans *Britannicus*, l'empereur romain Néron veut assassiner son
demi-frère, l'héritier légitime du trône pour être seul au pouvoir,
mais il se heurte à sa mère, la toute-puissante impératrice Agrippine.
Dans *Phèdre*, la reine tombe amoureuse de son beau-fils Hippolyte,
fils de Thésée, roi d'Athènes, et use de son influence pour le chasser
de la Cour.

Le héros tragique est amoureux

Mais le tragique naît d'un conflit insoluble entre pouvoir royal et
passion amoureuse. Pyrrhus doit choisir entre un mariage d'amour
et un mariage politique : chez les rois, la vie privée et la vie publique

ne s'harmonisent pas. Mais l'homme est faible, c'est ce que veut dire Racine : il recherche son bonheur personnel plutôt que son devoir. Pour cette raison, Pyrrhus opte finalement pour Andromaque, ce qui entraîne la guerre avec les Grecs puis sa mort. Chez Racine, le problème est sérieux et constant : comment un homme qui n'est pas maître de ses sentiments et de ses désirs pourrait-il gouverner tout un royaume ? Un roi amoureux est un mauvais roi, indigne d'exercer le pouvoir. C'est aussi le cas de Néron dans *Britannicus*. L'empereur est faible, aveuglé par sa passion pour Junie, manipulé par sa mère, jaloux de son demi-frère. Sa faiblesse l'entraîne dans la folie meurtrière. Inversement, il y a des rois qui font preuve de courage et renoncent à l'amour au nom de la raison d'État, comme Titus dans *Bérénice*. Titus, empereur romain, aime Bérénice et en est aimé ; mais la loi lui interdit d'épouser une étrangère. Il renvoie donc la reine Bérénice chez elle, en Palestine. Sa douleur amoureuse est atroce, celle de la reine aussi, mais la raison politique l'a emporté sur la passion. *Bérénice* est l'une des seules pièces de Racine qui ne s'achève pas par la mort des héros.

La vision janséniste

Chez Racine, la passion est destructrice ; cela tient à sa vision janséniste du monde. C'est un désir de dominer l'objet aimé puisque l'amour aussi est une forme de pouvoir. C'est pourquoi les rois y sont particulièrement sujets. Mais l'amoureux est faible par ailleurs. Il est dominé par l'amour, et dominant par son rang : c'est un paradoxe insupportable, dont la mort est souvent la seule issue. Les passions (amour, jalousie, ambition) conduisent au crime. L'explication se trouve dans le péché originel : pour Racine, l'homme est pervers par nature, il suit ses mauvais instincts plus facilement que ses bonnes résolutions. Seul Dieu pourrait le sauver, mais le héros tragique ne pense pas à Dieu : il veut satisfaire ses désirs avant tout, et il reçoit le châtiment de ses excès, une mort atroce et misérable. Cette vision pessimiste de l'homme est un avertissement pour le public.

❖ Les représentations de la pièce

Andromaque est le premier grand succès de Racine, mais c'est aussi, depuis 1667, sa pièce qui a été le plus souvent jouée, aussi bien à la Comédie-Française (le théâtre parisien consacré au répertoire classique) qu'ailleurs. Même *Phèdre*, la tragédie la plus célèbre de Racine n'a pas été jouée aussi souvent...

À l'époque de Racine...

En novembre 1667, lorsque la pièce est créée devant la Cour, elle rencontre un succès immédiat. Les rôles principaux sont tenus par des acteurs très célèbres de l'époque. Mlle Du Parc, grande tragédienne et maîtresse de Racine joue Andromaque. L'acteur Floridor a le rôle de Pyrrhus : à l'époque de Louis XIV, il est aussi connu que Molière, c'est l'un des plus grands comédiens de son temps, et il a longtemps joué dans les pièces de Corneille. C'est une des raisons pour lesquelles on dit que Racine, avec *Andromaque*, a détrôné Corneille, qui était jusque-là considéré comme le meilleur auteur de tragédies. Enfin, le personnage d'Oreste était interprété par un autre comédien réputé : Montfleury. Celui-ci meurt d'une attaque à la fin de l'année 1667, comme emporté par son rôle tragique... Cet événement a beaucoup marqué le public de l'époque, et a contribué à voir dans cette pièce une œuvre exceptionnelle. Le succès de Racine a suscité bien des jalousies à l'époque, celle de Corneille évidemment, mais aussi celle de Molière lui-même, qui pourtant n'était pas directement en concurrence avec lui, puisqu'il n'a écrit que des comédies

Entre-temps...

Le succès de Racine n'a jamais connu d'interruption et celui d'*Andromaque* non plus. C'est au XVIIIe siècle que l'œuvre du tragédien devient un véritable mythe. La plus grande actrice de cette époque, Mlle Clairon, a impressionné les spectateurs par son interprétation très passionnée du personnage d'Hermione. À l'époque romantique, au début du XIXe siècle, c'est le comédien Talma, le plus grand de son époque, qui tient rôle d'Oreste et poursuit la tradition. Tout au long de ce même siècle, *Andromaque* a toujours la faveur du public, grâce aux « stars » qui l'interprètent : Mlle Rachel, par exemple, joue Hermione. Et surtout, Sarah Bernhardt, une actrice très célèbre, qui tient le rôle d'Andromaque, vers 1900. Au début du XXe siècle, Jean Marais met la pièce en scène en 1944.

Et aujourd'hui

Dans la deuxième partie du XXe siècle, *Andromaque* demeure, avec *Phèdre*, la pièce de Racine la plus jouée et la plus vue. Tous les grands hommes de théâtre ont voulu en donner une version, et parfois plusieurs. Certaines mises en scène sont entrées dans l'histoire comme celle de Jean-Louis Barrault en 1962, au Théâtre de l'Odéon à Paris. Des acteurs très connus du grand public ont joué dans cette tragédie, comme Miou-Miou (Hermione) et Richard Berry (Oreste) dans la mise en scène de Robert Planchon, en 1989. La liste des metteurs en scène actuels qui ont monté *Andromaque* se confond avec celle des plus grands noms du théâtre français : Antoine Vitez (en 1971), ou Daniel Mesguich (en 1992 notamment). Chaque fois, ils essayent d'actualiser la pièce, notamment grâce aux décors, aux costumes, aux jeux de lumière, voire à la musique, mais sans jamais trahir le texte de Racine. *Andromaque* est toujours d'actualité : ainsi, la pièce a été montée en 2007 par Philippe Adrien, un célèbre metteur en scène contemporain.

Parallèlement, on redécouvre, grâce au succès de Racine, son modèle grec : la pièce d'Euripide. C'est ce qu'a fait Jacques Lassalle au festival d'Avignon, en 1994. Et on transpose l'histoire d'Andromaque un peu partout dans le monde, par exemple en Afrique, où le metteur en scène Georges M'Boussi a créé *Andromaque en Abomey* (2002), une adaptation de la pièce de Racine dans un ancien royaume noir... La pièce plaît universellement parce qu'elle parle de problèmes éternels comme l'amour, la jalousie, la vengeance, la guerre ou le pouvoir.

Pour approfondir

Textes et images

✢ Le personnage d'Andromaque

Issu de la mythologie grecque, le personnage d'Andromaque a de tous temps été une image de femme fidèle. Elle a inspiré de nombreux écrivains de l'Antiquité mais aussi du Moyen Âge, du XVIIᵉ siècle, et des XIXᵉ et XXᵉ siècles, dans tous les genres : théâtre, récit, poésie, peinture. En voici quelques exemples...

Documents :

❶ Homère, *L'Iliade*, chant XXIV (VIIIᵉ s. avant J.-C.).

❷ Benoît de Sainte-Maure, *Le Roman de Troie* (vers 1165).

❸ Baudelaire, *Les Fleurs du mal*, « Le Cygne », v. 1-8 (1857).

❹ Giraudoux, *La guerre de Troie n'aura pas lieu*, acte I, sc. 3 (1935).

❺ Frontispice de l'édition d'*Andromaque*, par François Chauveau (1668), Comédie-Française.

❻ *Andromaque* (Catherine Sellers). Mise en scène de Jean-Louis Barrault, Odéon, 1962.

❼ David, *La Douleur et les regrets d'Andromaque sur le corps d'Hector son mari*, (1783) Paris, Musée du Louvre.

❶ Andromaque aux bras blancs commença les plaintes, en tenant dans ses mains la tête d'Hector meurtrier :

« Mon mari, tu perds la vie bien jeune, et tu me laisses veuve en ce palais. Il est encore tout petit, comme à sa naissance, le fils que nous avons eu, toi et moi, infortunés ! Et je ne pense pas qu'il arrive à l'adolescence ; auparavant cette ville, depuis le faîte, sera renversée. Car tu as péri, toi son gardien, qui la tirais d'affaire, et protégeais ses femmes chastes et ses petits enfants. Elles, bientôt, sans doute, seront emportées sur les vaisseaux creux, et moi parmi elles ; toi, mon enfant, ou bien tu me suivras en un pays où tu ferais des tâches indignes, peinant pour un prince sans douceur ; ou l'un des Achéens[1] te jettera, t'ayant empoigné, du haut des murailles – triste fin ! – irrité de ce qu'Hector lui a tué un frère, un père, ou à lui aussi, un fils. Bien des Achéens, en effet, sous les mains d'Hector, ont mordu le sol immense. Car il n'était pas doux, ton père, dans le triste carnage ! C'est pourquoi les gens le pleurent, par la ville ; et indicibles sont les plaintes, le deuil que tu causes à tes parents, Hector ! Mais à moi surtout il me restera douleurs et tristesses. »

2 La femme d'Hector, de son vrai nom, s'appelait Andromaque. C'était une noble dame, de haut lignage, généreuse, courtoise, vertueuse et sage. Elle était très fidèle à son mari, et l'aimait d'un très grand amour. Elle avait de lui deux beaux enfants. Le plus grand n'avait que cinq ans. Il s'appelait Laodamas, n'était ni laid, ni noir ni brun de peau, mais blanc et blond, et noble et beau : c'était la fleur des petits garçons. L'autre s'appelait, d'après la tradition, Astyanax, il était tout petit, nourrisson, il n'avait pas encore trois ans. Écoutez la révélation faite à Andromaque : la nuit même où la trêve fut finie, la dame eut de quoi être effrayée, et elle le fut, je vous assure. Les dieux lui firent savoir, par des signes, des visions et des rêves prémonitoires, sa grande perte et sa douleur. Cette nuit-là, avant que le jour ne vienne, elle eut à souffrir de grands tourments, mais elle en fut sûre et certaine : si Hector allait combattre, il serait tué, pas d'erreur. Il ne pourrait se sortir du champ de bataille, et ce jour-là, il aurait à mourir. Par la révélation de cette nuit, la dame apprit le destin de son mari.

3 Andromaque, je pense à vous ! Ce petit fleuve,
Pauvre et triste miroir où jadis resplendit
L'immense majesté de vos douleurs de veuve,
Ce Simoïs[2] menteur qui par vos pleurs grandit,

---

1. **Achéens :** autre nom des Grecs.
2. **Simoïs :** fleuve de Troie.

A fécondé soudain ma mémoire fertile,
Comme je traversais le nouveau Carrousel.
Le vieux Paris n'est plus (la forme d'une ville
Change plus vite, hélas ! que le cœur d'un mortel) ;

4 HECTOR. [...] Tout à l'heure, en te quittant, je vais solennelle-
ment, sur la place, fermer les portes de la guerre. Elles ne s'ouvriront
plus.

ANDROMAQUE. Ferme-les. Mais elles s'ouvriront.

5 HECTOR. Tu peux même nous dire le jour !

ANDROMAQUE. Le jour où les blés seront dorés et pesants, la vigne sur-
chargée, les demeures pleines de couples.

HECTOR. Et la paix à son comble, sans doute ?

ANDROMAQUE. Oui. Et mon fils robuste et éclatant.

10 *Hector l'embrasse.*

HECTOR. Ton fils peut être lâche. C'est une sauvegarde.

ANDROMAQUE. Il ne sera pas lâche. Mais je lui aurai coupé l'index de la
main droite[1].

HECTOR. Si toutes les mères coupent l'index droit de leur fils, les
15 armées de l'univers se feront la guerre sans index... Et si elles lui
coupent la jambe droite, les armées seront unijambistes... Et si elles
lui crèvent les yeux, les armées seront aveugles, mais il y aura des
armées, et dans la mêlée elles se chercheront le défaut de l'aine, ou
la gorge, à tâtons...

20 ANDROMAQUE. Je le tuerai plutôt.

HECTOR. Voilà la vraie solution maternelle des guerres.

ANDROMAQUE. Ne ris pas. Je peux encore le tuer avant sa naissance.

HECTOR. Tu ne veux pas le voir une minute, juste une minute ? Après,
tu réfléchiras... Voir ton fils ?

25 ANDROMAQUE. Le tien seul m'intéresse. C'est parce qu'il est de toi,
c'est parce qu'il est toi que j'ai peur. Tu ne peux t'imaginer combien

---

1. **Je lui aurai coupé l'index de la main droite** : à l'époque de Giraudoux, ceux qui
avaient l'index droit coupé étaient exemptés de service militaire.

il te ressemble. Dans ce néant où il est encore, il a déjà apporté tout ce que tu as mis dans notre vie courante. Il y a tes tendresses, tes silences. Si tu aimes la guerre, il l'aimera... Aimes-tu la guerre ?

30 **HECTOR.** Pourquoi cette question ?

ANDROMAQUE. Avoue que certains jours tu l'aimes.

HECTOR. Si l'on aime ce qui vous délivre de l'espoir, du bonheur, des êtres les plus chers...

ANDROMAQUE. Tu ne crois pas si bien dire... On l'aime.

5

7

Textes et images

✤ Étude des textes

Savoir lire

1. Quels sont les procédés pathétiques présents dans le texte d'Homère ?
2. Quelles sont les qualités que Benoît de Sainte-Maure prête à Andromaque ?
3. Comparez la représentation de la guerre chez Homère et chez Giraudoux.

Savoir faire

4. Recherchez dans *L'Iliade* les passages qui concernent Pyrrhus.
5. Proposition d'exposé : ce qu'il faut retenir d'Homère et des œuvres qui lui sont attribuées.
6. Proposition de fiche de lecture : sur *La guerre de Troie n'aura pas lieu* de Giraudoux.

✤ Étude des images

Savoir analyser

1. Étudiez la position des personnages dans le tableau de David. Que signifie-t-elle ?
2. Quelles impressions se dégagent de l'attitude d'Andromaque dans la mise en scène de Jean-Louis Barrault ?

Savoir faire

3. Rédaction : faites la description précise du tableau de David.
4. Faites une recherche sur une représentation récente de la pièce de Racine, en essayant de trouver une image du spectacle.

✣ La colère d'une amoureuse trahie

Aux antipodes d'Andromaque, Hermione représente une héroïne amoureuse et trahie dont la passion évolue en colère violente et la conduira à une fin tragique. Il s'agit d'un type de personnage fréquent dans la littérature. Didon, Done Elvire, Bérénice ou Emma Bovary appartiennent toutes les quatre à ce type.

Documents :

❶ Virgile, *L'Énéide*, chant IV (Ier siècle av. J.-C.).

❷ Molière, *Dom Juan* (1665).

❸ Racine, *Bérénice* (1670), acte IV, scène 5, vers 1175-1197.

❹ Flaubert, *Madame Bovary* (1857).

❺ Miou-Miou dans le rôle d'Hermione. Mise en scène de Roger Planchon, T.N.P. de Lyon, 1989.

❻ Le personnage d'Hermione, illustration d'Edmond Geffroy, XIXe siècle.

❼ Rubens, *La Mort de Didon* (1783). Paris, Musée du Louvre.

❶ *Didon s'adresse à son amant Énée, qui a décidé de la quitter pour aller en Italie.*

Ainsi voilà le travail des dieux d'en haut, voilà le souci qui trouble leur quiétude ! Je ne te retiens pas ni ne réfute tes dires. Non, va, poursuis l'Italie à la merci des vents, cherche des royaumes à travers les ondes. J'espère bien, quant à moi, si les justes divinités ont quelque pouvoir, que tu trouveras ton supplice au milieu des écueils et que tu invoqueras souvent le nom de Didon. Je te suivrai, absente, avec de sombres torches, et, lorsque la froide mort aura séparé mes membres de mon âme, mon ombre t'assiégera en tous lieux. Tu seras puni, misérable ! je l'apprendrai, et le bruit en viendra jusqu'à moi au séjour souterrain des Mânes[1].

---

1. **Mânes :** esprits des morts, chez les Romains.

2 **DONE ELVIRE.** Ah ! scélérat, c'est maintenant que je te connais tout entier ; et pour mon malheur, je te connais lorsqu'il n'en est plus temps, et qu'une telle connaissance ne peut plus me servir qu'à me désespérer. Mais sache que ton crime ne demeurera pas impuni, et que le même Ciel dont tu te joues saura me venger de ta perfidie.

DOM JUAN. Sganarelle, le Ciel !

SGANARELLE. Vraiment oui, nous nous moquons bien de cela, nous autre.

DOM JUAN. Madame...

DONE ELVIRE Il suffit. Je n'en veux pas ouïr davantage, et je m'accuse même d'en avoir trop entendu. C'est une lâcheté que de se faire expliquer trop sa honte ; et, sur des tels sujets, un noble cœur, au premier mot, doit prendre son parti. N'attends pas que j'éclate ici en reproches et en injures : non, non, je n'ai point un courroux à exhaler en paroles vaines, et toute sa chaleur se réserve pour sa vengeance. Je te le dis encore, le Ciel te punira, perfide, de l'outrage que tu me fais ; et si le Ciel n'a rien que tu puisses appréhender, appréhende du moins la colère d'une femme offensée.

3 **BÉRÉNICE**

1175 Non, je crois tout facile à votre barbarie.
Je vous crois digne, ingrat, de m'arracher la vie.
De tous vos sentiments mon cœur est éclairci.
Je ne vous parle plus de me laisser ici ?
Qui ? moi ? j'aurais voulu, honteuse et méprisée,
1180 D'un peuple qui me hait soutenir la risée.
J'ai voulu vous pousser jusques à ce refus.
C'en est fait, et bientôt vous ne me craindrez plus.
N'attendez pas ici que j'éclate en injures,
Que j'atteste le ciel, ennemi des parjures.
1185 Non, si le ciel encore est touché de mes pleurs,
Je le prie en mourant d'oublier mes douleurs.
Si je forme des vœux contre votre injustice,
Si devant que mourir la triste Bérénice

Vous veut de son trépas laisser quelque vengeur,
1190 Je ne le cherche, ingrat, qu'au fond de votre cœur.
Je sais que tant d'amour n'en peut être effacée ;
Que ma douleur présente et ma bonté passée,
Mon sang, qu'en ce palais je veux même verser,
Sont autant d'ennemis que je vais vous laisser ;
1195 Et, sans me repentir de ma persévérance,
Je me remets sur eux de toute ma vengeance.
Adieu.

4 *Emma Bovary, ruinée, est venue trouver son ancien amant Rodolphe pour qu'il lui prête de l'argent, mais celui-ci refuse de l'aider.*

Mais, moi, je t'aurais tout donné, j'aurais tout vendu, j'aurais travaillé de mes mains, j'aurais mendié sur les routes, pour un sourire, pour un regard, pour t'entendre dire : « Merci ! » Et tu restes là tranquillement dans ton fauteuil, comme si déjà tu ne m'avais pas fait assez souffrir ? Sans toi, sais-tu bien, j'aurais pu vivre heureuse ! Qui t'y forçait ? Était-ce une gageure ? Tu m'aimais cependant, tu le disais… Et tout à l'heure encore… Ah ! il eût mieux valu me chasser ! J'ai les mains chaudes de tes baisers, et voilà la place, sur le tapis, où tu jurais à mes genoux une éternité d'amour. Tu m'y as fait croire : tu m'as, pendant deux ans, traînée dans le rêve le plus magnifique et le plus suave !… Hein ? nos projets de voyage, tu te rappelles ? Oh ! ta lettre, ta lettre ! elle m'a déchiré le cœur !… Et puis, quand je reviens vers lui, vers lui qui est riche, heureux, libre ! pour implorer un secours que le premier venu rendrait, suppliante et lui rapportant toute ma tendresse, il me repousse, parce que ça lui coûterait trois mille francs !

Pour approfondir

6

ANDROMAQUE

HERMIONE

Porte au pied des autels ce cœur qui m'abandonne;
Va cours, mais crains encor d'y trouver Hermione.

Pour approfondir

✥ Étude des textes

Savoir lire

1. Relevez les termes négatifs que les amoureuses trahies appliquent à leur amant dans les quatre textes.
2. Dans quels textes est-il question de vengeance ?
3. Chez laquelle de ces héroïnes la colère vous semble-t-elle la plus violente ?

Savoir faire

4. Documentez-vous et classez ces quatre héroïnes suivant qu'elles appartiennent à la légende, à l'histoire ou à la fiction.
5. Quel est le sujet de la pièce de Racine, *Bérénice* ? Comparez avec *Andromaque*.
6. Comment se termine le roman de Flaubert ?

✥ Étude des images

Savoir analyser

1. Que pensez-vous de la posture de Didon dans le tableau de Rubens ?
2. Comparez les deux illustrations d'Hermione.
3. De quelle scène de la pièce pouvez-vous rapprocher la photographie de Miou-Miou ?

Savoir faire

4. Relevez tous les détails qui retiennent votre attention dans *La Mort de Didon*, et essayez de leur trouver une signification.
5. Faites une recherche complète sur l'histoire de Didon et Énée.
6. Imaginez que Didon et Hermione se rencontrent aux Enfers et écrivez leur dialogue.

Pour approfondir

Vers le brevet

Sujet 1 : texte 4, p. 138.

Questions

I - Généralités

1. Dans la première réplique d'Hector, relevez un verbe au futur proche et un verbe au futur simple. Quelle différence y a-t-il entre ces deux types de futur ?

2. Identifiez le temps dans le verbe « aurai coupé » (l. 12).

3. Trouvez un équivalent du mot « sauvegarde » (l. 11). De quels éléments est-il composé ?

4. Qui désigne le pronom « on » à la dernière ligne ?

5. Trouvez un exemple de question à laquelle l'interlocuteur répond par une autre question. Que signifie cet enchaînement ?

6. Quelle est la valeur des points de suspension dans ce texte ? Justifiez votre réponse en prenant deux exemples.

7. Comment s'appelle un échange de répliques entre deux personnages ?

8. Relevez la didascalie dans l'extrait. Que nous apprend-elle sur la relation entre les deux personnages ?

II - Les personnages

1. Le fils d'Andromaque est-il déjà né ? Justifiez votre réponse en citant le texte.

2. Pourquoi Andromaque dit-elle : « Le tien seul m'intéresse » ? D'après ce qu'on sait dans ce texte, combien a-t-elle d'enfants ?

3. Citez deux expressions qui suggèrent qu'Hector et Andromaque sont mariés.

4. Les personnages sont-ils opposés ou favorables à la guerre ?

5. Donnez un exemple d'enchaînement des répliques où un des deux personnages contredit l'autre ? Comment pourriez-vous appeler ce genre de conversation ?

6. Quel mot vous indique qu'Hector a du pouvoir ?

III - Significations

1. Quelle figure de style utilise Hector dans l'expression « les portes de la guerre » ? À quelles situations correspondent les verbes « fermer » et « ouvrir » ?

2. Que symbolisent les « blés » et la « vigne » à la ligne 6 ?

3. Quelle idée Hector veut-il exprimer au sujet de la guerre ?

4. Relevez le champ lexical de la violence dans le texte. Quel effet Giraudoux cherche-t-il à produire sur les spectateurs ?

5. Citez une phrase d'Andromaque qui permet d'illustrer l'idée que les mêmes erreurs peuvent se reproduire de génération en génération.

6. Hector parle-t-il sérieusement lorsqu'il dit : « Si l'on aime ce qui vous délivre de l'espoir, du bonheur, des êtres les plus chers... » Comment appelle-t-on ce genre d'énoncé ?

7. À votre avis, la guerre aura-t-elle lieu ou non ? Citez deux phrases dites par Andromaque pour justifier votre réponse.

8. Est-ce que Giraudoux parle seulement de la guerre de Troie ? Répondez en tenant compte de la date de publication de cette pièce.

Réécriture

1. Réécrivez la réplique d'Hector aux lignes 14-19 en remplaçant le présent par l'imparfait, et en respectant bien la concordance des temps ainsi que la conjugaison.

2. Réécrivez la réplique d'Andromaque aux lignes 25-29 en remplaçant la deuxième personne du singulier par la première personne du pluriel. Attention ! Il y a deux verbes qu'il ne faudra pas modifier, sinon la communication entre les personnages ne sera plus logique.

Rédaction

Imaginez un dialogue entre Hector et Andromaque, dans lequel l'un des deux personnages veut démontrer que la guerre est inévitable, tandis que l'autre veut démontrer qu'il y a des moyens de l'éviter. Vous ferez attention à la qualité des arguments avancés par chacun des deux protagonistes, et utiliserez des procédés qui traduisent clairement la contradiction entre leurs deux points de vue.

Petite méthode pour la rédaction

Avant de répondre aux questions, lisez attentivement le texte proposé, au moins deux fois. De même, réfléchissez avant d'écrire, et assurez-vous que vous avez bien compris ce qu'on vous demande. Faites toujours des phrases simples, mais complètes (il doit y avoir un verbe conjugué, et jamais de proposition subordonnée sans principale). N'oubliez pas les guillemets lorsque vous citez le texte, et recopiez les citations sans les modifier. Attention à ne pas ajouter de fautes d'orthographe ! N'oubliez jamais de justifier les réponses par des citations quand on vous le demande.

Questions

I - Généralités

1. Quels sont les signes de ponctuation qui révèlent l'émotion du personnage ? Donnez un exemple pour chacun d'eux.

2. Relevez les différentes interjections utilisées par le personnage.

3. À quelle forme sont employés les adjectifs « magnifique » et « suave » ?

4. À quel temps est conjugué le verbe « aurais travaillé » ? Qu'exprime-t-il ?

5. Quel est le sens du mot « gageure » ? Que veut dire Emma Bovary en employant ce mot ?

6. Trouvez dans le texte deux expressions appartenant au registre familier, et deux expressions appartenant au registre soutenu.

7. Pourquoi le mot « traînée » a-t-il une terminaison au féminin ? Rappelez la règle d'orthographe qui s'applique ici, et expliquez cet accord.

II - Les personnages

1. Pourquoi ce discours commence-t-il par la conjonction « mais » ?

2. Pourquoi Rodolphe laisse-t-il parler Emma sans l'interrompre ni intervenir ? Trouvez une expression par laquelle Emma fait malgré tout « parler » son ancien amant ?

3. Quels sont les deux pronoms personnels que l'héroïne utilise pour désigner son ancien amant ? Que traduit l'emploi de ces pronoms ? Comment expliquez-vous le changement de pronom ?

4. Quel est l'effet produit par l'accumulation des verbes dans la première phrase ?

Vers le brevet

5. Trouvez la seule phrase dans laquelle l'héroïne utilise la première personne du pluriel. Quel mot accompagne l'apparition de cette personne grammaticale ? En quoi ce mot est-il révélateur des relations passées entre les deux personnages ?

6. Emma fait allusion à une lettre qu'elle a reçue autrefois de Rodolphe. D'après le contexte, de quel genre de lettres s'agissait-il ? Citez une expression pour justifier votre réponse.

7. Trouvez deux phrases dans lesquelles l'héroïne répète les mêmes expressions. Comment expliquer ces répétitions ?

III - Signification

1. Dans quelle position se trouve Rodolphe dans cette scène ? À quelle autre position Emma fait-elle allusion ? Que pensez-vous de ce contraste ?

2. Quels sont les trois reproches qu'Emma adresse successivement à Rodolphe dans ce texte. Quels sont les trois défauts qu'elle lui prête en lui faisant ces reproches ?

3. Relevez une phrase dans laquelle l'héroïne cite des paroles que lui avait dites son amant. Dans quel but a-t-elle recours à cette citation ?

4. Emma est-elle tout à fait honnête lorsqu'elle prétend qu'elle est venue rapporter à Rodolphe toute sa « tendresse » ? Justifiez votre réponse.

5. Quelle erreur l'héroïne a-t-elle commise en aimant Rodolphe autrefois ? Pourquoi ? Quelle erreur commet-elle en venant lui demander de l'argent ? Le personnage vous semble-t-il tirer profit de ses erreurs ?

Vers le brevet

Réécriture

1. Réécrivez le début de ce discours (jusqu'à « il eût mieux valu me chasser ») en le transposant sous la forme d'un récit conduit par un narrateur extérieur à l'histoire. Vous ferez attention à bien modifier les pronoms personnels, ainsi que les temps verbaux.

2. Réécrivez la fin du discours d'Emma (à partir de « J'ai les mains chaudes ») en intercalant les réflexions que, pendant que son ancienne maîtresse parle, Rodolphe se fait mentalement. Vous présenterez cet exercice à la façon d'un dialogue, mais en plaçant les répliques d'Emma entre guillemets, et les pensées de Rodolphe entre parenthèses.

Réécriture

 Imaginez la lettre de refus que Rodolphe pourrait écrire à Emma après avoir reçu une demande d'aide de sa part.

✤ Autres sujets d'entraînement

Sujet 1 : *Andromaque*, acte II, scène 3, p. 58.

On fera travailler les élèves sur les points de langue suivants :

1. Les noms propres (noms de personnes, de lieux, personnifications).

2. Les différentes valeurs de l'impératif.

3. La conjugaison des verbes du 3ᵉ groupe (présent indicatif et subjonctif).

Sujet 2 : *Andromaque*, acte V, scène 1, vers 1393-1408, p. 105.

On fera travailler les élèves sur les points de langue suivants :

1. La nature et le rôle de la ponctuation.

2. Le vocabulaire des passions et des émotions.

3. L'interrogation (totale ou partielle), les mots interrogatifs (adverbes, pronoms, adjectifs).

4. Les différentes formes de l'apposition.

Outils de lecture

Achéens : autre nom des Grecs.

Achille : héros grec, roi des Myrmidons, et père de Pyrrhus. Il était célèbre pour sa valeur guerrière et son tempérament colérique. Il tua Hector.

Acte : partie d'une pièce de théâtre classique. Une tragédie compte cinq actes.

Agamemnon : roi de la cité grecque d'Argos, chef des Achéens pendant la guerre de Troie, et père d'Oreste.

Alexandrin : vers de douze syllabes, toujours employé dans les tragédies classiques, car il était considéré comme le vers le plus noble.

Aristote : célèbre philosophe grec (IVe siècle av. J.-C.) qui a proposé une théorie de la tragédie dans son ouvrage intitulé *La Poétique*.

Catharsis : mot grec signifiant « purification », employé par Aristote pour désigner le but de la tragédie classique, qui est de purifier les spectateurs de leurs pulsions mauvaises.

Classicisme : mouvement littéraire dominant la deuxième moitié du XVIIe siècle en France. Racine fait partie de ce mouvement.

Dénouement : fin de l'intrigue dans une tragédie. Il prend souvent la forme de l'hécatombe.

Didascalies : indications, placées en italiques, et qui renvoient aux mouvements que doit exécuter l'acteur, ou au ton sur lequel il doit s'exprimer.

Euripide : auteur tragique grec (Ve siècle av. J.-C.). Il a écrit une *Andromaque*, qui a servi de modèle à Racine.

Exposition : début d'une pièce de théâtre, où sont présentés les personnages, leurs relations, les enjeux de l'intrigue.

Fatalité : force impersonnelle qui dirige le destin des hommes dans la tragédie, et qui s'identifie souvent à la volonté des dieux.

Galanterie : au XVIIe siècle, registre servant à exprimer les sentiments amoureux.

Hécatombe : à la fin d'une tragédie, moment qui correspond à la mort violente de plusieurs personnages.

Hector : prince troyen, mari d'Andromaque, tué par Achille.

Hélène : femme de Ménélas, reine de Sparte. Elle fut enlevée par Pâris, ce qui fournit aux Grecs le prétexte de la guerre de Troie.

Hubris : mot grec signifiant « excès, démesure », c'est le caractère du héros tragique.

L'Iliade : récit épique grec attribué à Homère, qui relate la première partie de la guerre de Troie.

Intrigue : histoire racontée, dans une pièce de théâtre.

Jansénisme : mouvement religieux et intellectuel du XVIIe siècle, dont Racine était très proche, et qui défendait une vision austère et intransigeante du christianisme.

Ménélas : roi de Sparte, mari d'Hélène, et père d'Hermione.

Pathétique : registre visant à susciter la pitié du spectateur. Avec la terreur, la « pitié » est l'une des deux émotions que doit provoquer la tragédie, d'après Aristote.

Péripétie : retournement imprévu de situation, dans une pièce de théâtre.

Port-Royal : célèbre couvent du XVIIe siècle, centre du jansénisme en France, où Racine fut élevé.

Priam : roi de Troie, père de Pâris et d'Hector. Il fut tué par Pyrrhus.

Réplique : chacun des groupes de vers dits à la suite par un même personnage. Ne pas confondre avec « tirade ».

Scène : chacune des divisions d'un acte, dans une tragédie classique.

Terreur : d'après Aristote, l'une des deux émotions violentes que doit ressentir le spectateur d'une tragédie. Voir « pathétique ».

Tirade : réplique très longue, au théâtre.

Tragédie : genre théâtral d'origine grecque, et remis à l'honneur au XVIIe siècle. La tragédie est caractérisée par le rang royal de ses personnages (venus de la mythologie ou de l'histoire), par le sérieux du sujet, par l'intervention des dieux ou de la fatalité et par un dénouement souvent sanglant.

Trois unités (règle des) : règle de la tragédie classique qui veut que l'intrigue se déroule en vingt-quatre heures (unité de temps), en un même endroit (unité de lieu), et qu'elle n'ait qu'un sujet principal (unité d'action).

Bibliographie et filmographie

Œuvres de Racine

• Racine, *Théâtre complet*, édition de J. Morel et A. Viala, Bordas, « Classiques Garnier », 1980.

Sur Racine

• R. Barthes, *Sur Racine*, Seuil, collection « Points », 1963.

• J. Giraudoux, *Racine*, Grasset, 1950.

• L. Goldmann, *Le Dieu caché*, Gallimard, collection « Tel », 1959.

• Th. Maulnier, *Racine*, Gallimard, 1947.

• F. Mauriac, *La Vie de Racine,* Perrin, 1999 (réédition de 1928).

• Ch. Mauron, *L'Inconscient dans l'œuvre et la vie de Racine*, Ophrys, 1957.

• A. Niderst, *Racine et la tragédie classique*, PUF, collection « Que sais-je ? », 1978.

• R. Picard, *La Carrière de Jean Racine*, Gallimard, 1961.

• A. Viala, *Racine, la stratégie du caméléon*, Seghers, 1990.

Sur la tragédie

• J. Morel, *La Tragédie*, collection « U », Colin, 1964.

• F. Nietzsche, *La Naissance de la tragédie*, Gallimard, collection « Folio essais », 1949.

• C. Puzin, *Le Tragique*, collection « Intertextes », Nathan, 1984.

• G. Steiner, *La Mort de la tragédie*, Seuil, 1965, réédition : Gallimard, collection « Folio essais », 1993.

• J. Truchet, *La Tragédie classique en France*, PUF, 1975.

Crédits photographiques

Direction de la collection : Carine Girac-Marinier

Direction éditoriale : Jacques Florent

Édition : Marie-Hélène CHRISTENSEN

Lecture-correction : service lecture-correction LAROUSSE

Recherche iconographique : Valérie PERRIN, Agnès CALVO

Direction artistique : Uli MEINDL

Couverture et maquette intérieure : Serge CORTESI, Sophie RIVOIRE, Uli MEINDL

Responsable de fabrication : Marlène DELBEKEN

Photocomposition : CGI

Impression : Rotolito lombarda (Italie)

Dépôt légal : Août 2008 – 301605/05

N° Projet : 11020584 – Septembre 2012